PROFIL FORMATION

Collection dirigée par Georges Décote

POUR CONDUIRE
UNE RÉUNION

par Hélène SOREZ

psychosociologue

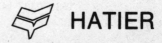

ISSN 0337-1425   ISBN 2-218-**03365**-8

Sommaire

Introduction

Aujourd'hui, dans toutes les organisations — entreprises, administrations, syndicats, écoles, hôpitaux, etc. — on participe à des réunions, il « faut » y participer, il « faut » en organiser ; on contracte la « réunionite ». Mais en même temps bien des personnes qui succombent à cette mode et cette pression sociale ne croient pas en l'efficacité des réunions, pensent y perdre leur temps et leur énergie au détriment de leur travail quotidien.

Le désintérêt et le doute sur le bien-fondé des réunions nous semblent provenir de plusieurs facteurs :

- La constatation de l'échec de nombreuses réunions ; lorsqu'elles sont mal conduites et n'aboutissent pas dans leurs objectifs ; lorsqu'elles ne sont en réalité qu'un simulacre et que personne ensuite ne tient compte de ce qui a été dit.

- L'incertitude quant au genre de réunion à laquelle on participe qui entraîne une incertitude sur ce que l'on peut raisonnablement en attendre.

- Des attentes à la fois floues, très chargées affectivement et ambivalentes. Toute réunion suscite en effet de nombreuses attentes souvent contradictoires que l'on ne sait pas analyser. On croit en général que l'on a des attentes uniquement rationnelles (par exemple, résoudre un problème), alors qu'elles sont doublées d'attentes affectives (par exemple, mieux communiquer, mieux connaître une personne ou briller, se faire valoir). Or il est évident qu'elles ne peuvent être satisfaites par une simple réunion. On ressent alors une déception d'ordre affectif que l'on confond avec une déception d'ordre rationnel. Et l'on estime aussitôt que les réunions sont inefficaces. De plus, dans tout processus de groupe les niveaux rationnels (le raisonnement, la logique, la décision) et affectifs (les émotions, les sentiments, les affinités) sont intimement mêlés et inter-agissent. Ainsi, si l'on ne peut se rendre compte de ses attentes, de ses sentiments, de ses sympathies et de ses antipathies, de son objectif personnel, le niveau affectif vient perturber le niveau rationnel et abaisser réellement l'efficacité de la réunion.

- Un conflit intra-personnel — en soi-même — d'ordre idéologique. En effet, la réunion est idéalement un endroit de dialogue, ce qui renvoie à des idéaux démocratiques. Or, dans la pratique, on peut s'apercevoir qu'on a du mal à supporter ce type de relation. On perçoit obscurément, sans se l'avouer, que l'on refuse le dialogue réel, qu'on n'en accepte pas les conséquences, que ses attitudes personnelles sont en contradiction avec ses idées, ce qui produit un état interne de tension. On peut aussi assister à des réunions « non démocratiques » comme il en existe beaucoup, soit par incapacité du président de séance, soit par stratégie de l'instigateur de la réunion et on peut se sentir alors « piégé ».

- Un espoir déçu. Dans un univers où il est commun de dire qu'on ne communique pas, ni avec ses collègues, ni avec ses enfants ou ses parents, ni avec les instances responsables dans l'entreprise ou la nation, où le sens de l'humain, de la fête est perdu, la réunion semble un des lieux privilégiés où l'on va enfin pouvoir communiquer. Contraint d'accepter quotidiennement la non-communication, on devient très exigeant lors d'une réunion : on veut arriver instantanément à une communication totale, ce qui est impossible. A cause de sa propre intransigeance, on est renvoyé à sa solitude.

Ce livre, qui devrait permettre au lecteur d'approfondir quelques-unes des réflexions amorcées ci-dessus, s'adresse à tous ceux qui dans leur organisation ont à participer ou à organiser des réunions et plus particulièrement à ceux qui ne bénéficient pas d'un stage de formation à la conduite de réunion. Il ne prétend nullement former un conducteur de réunion car dans ce domaine seule la pratique est formatrice, mais améliorer le niveau d'information et de réflexion, ce qui permettrait de considérer différemment les réunions.

Le rôle de ce livre est plus précisément :
- de démythifier la réunion,
- de permettre au lecteur de savoir ajuster ses attentes par rapport à chaque type de réunion,

- d'apporter les informations nécessaires pour éviter de se faire manipuler par des organisateurs de réunions peu scrupuleux,
- d'améliorer son comportement de participant à une réunion car ce rôle est complémentaire de celui de conducteur de réunion,
- d'apporter l'information indispensable à ceux qui doivent « se lancer » sans formation particulière dans la conduite des réunions,
- de permettre à ceux qui ont déjà une formation et une pratique de fixer leurs idées et d'approfondir leur réflexion,
- de faciliter le contrôle de son propre comportement comme participant ou comme animateur[1].

Pour atteindre ces objectifs, nous tenterons une classification des réunions, nous examinerons quelques phénomènes de groupe, nous réfléchirons au rôle du conducteur de réunion, nous traiterons de l'organisation pratique d'une réunion et nous proposerons de contrôler soi-même sa propre pratique.

Il faut savoir que lorsqu'on commence à conduire des réunions, sans formation pratique particulière, en se référant à des lectures ou en essayant simplement de prendre modèle sur des présidents de séances que l'on connaît, on se heurte à certaines difficultés. On éprouve de la crainte devant le groupe car on a un sentiment de responsabilité et l'impression d'être jugé. Face au regard d'autrui, le plus commun est de se raccrocher à son propre statut social et d'adopter des attitudes de compensation comme le désir de convaincre ou de monopoliser la parole, la manipulation, le recours au système d'autorité hiérarchique, l'utilisation de recettes qui, acquises par conditionnement, sans connaissance vivante ni enrichissement réel, ne permettent pas l'initiative personnelle opportune dans des situations non prévues.

---

1. Conducteur de réunion et animateur seront employés indifféremment.

1 Classification et description

1. CLASSIFICATION

Avant de participer à une réunion, il serait nécessaire de savoir à quel type de réunion on est convié de façon à pouvoir participer pleinement, ne pas être déçu de n'avoir pas pu discuter si on a assisté à une réunion d'information, ne pas se trouver pris de court si on ne s'attendait pas à devoir prendre une décision.

Le mot *réunion* recouvre en effet une multitude de rencontres de nature très différente alors que nous avons tendance à toujours adopter les mêmes comportements.

C'est une classification qui permet le mieux de distinguer clairement les différents types de réunions. Mais toute classification est arbitraire, repose sur des critères et change en fonction des critères retenus.

On pourrait retenir un des critères suivants : nombre de participants, rôle du conducteur de la réunion, marge d'autonomie des participants, responsabilité de la décision. Mais le critère le plus sérieux, car le plus discriminatif, semble être l'objectif de la réunion.

Disons toutefois qu'une réunion, quel que soit son objectif, est soit fonctionnelle, soit opérationnelle.

Les réunions fonctionnelles font partie de la structure normale et permanente d'une organisation (ex. : assemblées générales, réunions de conseils ou de bureaux, commissions de travail permanentes, forums).

Les réunions opérationnelles sont mises en place pour un temps et un objet limités. Quand l'objectif est atteint, elles disparaissent pour être remplacées éventuellement par d'autres répondant à de nouvelles préoccupations.

Les objectifs d'une réunion peuvent être :

- Se distraire, se détendre.
- Donner ou recueillir de l'information.
- Réfléchir sur un problème, rechercher la solution d'un problème.
- Aboutir à des décisions.
- Convaincre.

Ces objectifs permettent de procéder à une classification :

Objectif	Type de réunion [1]
Se distraire, se détendre	*Réunions conversationnelles* *Réunions amicales*
Donner de l'information	*Réunions d'information descendante*

sans feed-back[2] { Transmission d'ordre / Information simple / Exposé de décision / Contre-information

avec feed-back[2] { Feed-back d'une information ascendante / Exposé - discussion / Briefing

---

1. Chacun des types de réunions sera décrit plus loin.
2. Feed-back : information en retour.

Recueillir de l'information	*Réunions d'information ascendante* - Information ascendante simple - Interview de groupe - Enquête
Réfléchir sur un problème,	*Réunions centrées sur le groupe* - Dynamique de groupe - Analyse institutionnelle - Séances d'analyse de groupe
Rechercher la solution d'un problème	*Réunions centrées sur le problème* - Réunion-discussion - Étude de cas - Brainstorming - Créativité - Groupe Balint *Réunions de grands groupes* - Recueil des questions - Recueil préliminaire des questions - Panel - Phillips 66
Aboutir à des décisions Convaincre	*Réunions de décisions* *Réunions à stratégie* *Meeting*

A la lecture de ce tableau on a pu penser que tels objectifs ou telles formes de réunions sont meilleurs que d'autres qu'il faut proscrire. Mais, en réalité, tous les types de réunions sont nécessaires et un seul type, que par goût on privilégierait, ne peut répondre à l'ensemble des besoins. On doit simplement choisir un type de réunion adapté à chaque situation particulière.

2. DESCRIPTION

Décrivons plus en détail chacun des types de réunions que nous avons cités.

● *Réunion conversationnelle et réunion amicale*

Toute réunion de plusieurs personnes n'ayant d'autre objectif que le plaisir de se rencontrer, profiter de la présence d'autrui, confronter la façon dont chacun saisit les problèmes.

● *Réunion d'information descendante*

Toute réunion où une personne est chargée de transmettre une information à un groupe dont elle fait partie d'une manière ou d'une autre.

● Réunion sans feed-back : nous plaçons sous ce titre les réunions où le dialogue est nul ou très restreint, feed-back signifiant information en retour. Une réunion sans feed-back est donc une réunion où les participants ne peuvent pas exprimer à leur tour leur sentiment.

● Transmission d'ordre, information simple, exposé des décisions : quelqu'un est chargé de transmettre des consignes d'action, des ordres, de donner une information ou d'exposer des décisions. Mais il n'y a pas de dialogue, les participants ne peuvent que demander des précisions ou des explications supplémentaires.

● Contre-information : on cherche à opposer une information officielle à des bruits de couloir, à des rumeurs. Le dialogue peut être ici plus important. En supposant que l'information officielle soit vraie, la réunion a d'autant plus de chances d'être efficace que l'animateur laisse s'instaurer un dialogue plus grand.

● Feed-back d'une information ascendante : à la suite d'interviews, de sondages d'opinion, d'enquêtes, on expose à un groupe les résultats obtenus, les conclusions tirées. Les auditeurs appartiennent au groupe qui a été interviewé ou bien font partie de la même catégorie qu'eux (exemple : personnel d'une entreprise à qui on a fait passer un questionnaire, membres d'une association).

On le voit, on pourrait remplacer les réunions d'information sans feed-back par une note écrite. Si l'on choisit ce mode d'information, c'est que les notes écrites sont rarement lues, c'est que l'expression orale est moins sèche, que l'animateur — plutôt l'orateur — peut adapter son discours aux participants en fonction de leurs réactions et mieux se faire comprendre.

Les qualités requises pour conduire ces réunions sont des qualités d'orateur : clarté d'esprit, aisance dans l'expression orale, clarté d'exposition, langage et méthode d'exposé adaptés aux auditeurs, intuition sur l'état de son public (sentir son public).

● Réunion avec feed-back : on utilise le dialogue pour que l'information soit bien comprise. On recueille l'avis du groupe sur l'information qui lui a été faite en partie pour s'assurer que l'information a réellement été reçue.

● Exposé-discussion : l'exposé est suivi par une véritable discussion où les participants peuvent comparer avec leurs propres expériences, leurs propres connaissances, leurs propres idées et contester ce qui a été exposé. Le moment difficile de ces réunions est le passage de l'exposé à la discussion, car l'orateur doit se transformer en animateur et susciter la participation du groupe. On peut aussi adopter la formule inverse : commencer par une discussion, puis après la discussion faire un exposé. Mais l'objectif change : il s'agit de faire ressortir les préjugés, les notions fausses, de motiver le groupe pour faciliter l'assimilation ultérieure des notions transmises.

● Briefing : c'est une information préliminaire à une action à laquelle les membres du groupe vont participer de manière personnelle et pendant laquelle ils peuvent risquer de se sentir isolés. Il s'agit de comprendre une mission personnelle et de savoir la situer dans un ensemble. Il s'agit d'acquérir des savoir-faire et de réfléchir à toutes les éventualités pour pouvoir y faire face lorsqu'elles se présenteront dans la réalité. Cette réunion est faite en vue d'une action. Elle commence par une phase d'exposé, pour être suivie de questions, de discussions, éventuellement d'exercices pratiques.

Ces deux formes de réunion ne pourraient être remplacées par une note écrite car le dialogue est indispensable : le conducteur

de réunion doit allier les qualités de l'orateur à celles de l'animateur. On pourrait citer l'impartialité, la présence des autres, la
compréhension de divers points de vue, l'absence de projection,
l'aptitude à la synthèse dans le courant de la discussion, la
sensibilité à l'état affectif du groupe.

- *Réunion d'information ascendante*

- Réunion d'information ascendante simple : elle a pour but de
recueillir des informations auprès des personnes qui sont directement en contact avec la réalité. Elle permet de comprendre ce
qui se passe sur le terrain et de réajuster éventuellement son
action. Ces réunions souvent ignorées — car elles suscitent de
toutes parts de très importantes résistances — diminuent les
distances entre les différents niveaux ou services et apportent des
informations nécessaires à une prise de décision.

- Interview de groupe : elle a pour but de recueillir des opinions, non pas individuelles — pour cela on dispose de la
méthode de l'interview individuelle — mais d'obtenir des gens
leur avis en tant que membres d'un ensemble. L'interviewer
cherche à exprimer l'opinion de l'ensemble du groupe. Il aide les
participants à dépasser le niveau des idées toutes faites pour
atteindre le niveau des opinions réelles et des attitudes profondes. Pour cela il dispose de la méthode non-directive.

- Enquête : c'est une interview de groupe où le groupe réuni est
représentatif de la population d'enquête : par exemple, quelques
professeurs d'histoire si les professeurs d'histoire constituent la
population d'enquête. L'animateur cherche à connaître les opinions, les attitudes, les besoins, les attentes du groupe concer-
nant l'objet de l'enquête.

Dans ces deux dernières formes de réunions, l'interaction
entre les membres du groupe est beaucoup plus importante que
dans les réunions précédentes (sauf pour le briefing). Mais l'interaction n'a pour but que « de rendre service » à l'interviewer
en permettant une meilleure expression des opinions. Toutefois
les qualités d'un « bon interviewer » sont semblables à celles
d'un « bon animateur ».

Les réunions que nous allons maintenant décrire sont, à notre
avis, des réunions au sens plein du terme. Non seulement l'interaction s'intensifie, mais elle profite plus directement aux participants.

● *Réunions centrées sur le groupe*

Sous cette rubrique on trouve des réunions de nature différente de toutes les autres. Si leur but est bien de réfléchir à un problème, c'est la vie du groupe lui-même qui constitue le problème. Toutes ces réunions sont animées par des professionnels qui ont des références théoriques diverses mais solides.

● Dynamique de groupe. Cette méthode de formation — parfois employée avec quelques différences en psychothérapie — a pour but de sensibiliser les participants aux phénomènes de groupe, de les entraîner à les repérer, de leur faire découvrir, par une réflexion à la fois personnelle et de groupe, les moyens appropriés pour résoudre certains des problèmes qui se posent à un groupe, de leur faire appréhender comment ils perçoivent les autres et comment ils sont perçus par eux. Pratiquement, on réunit pendant plusieurs jours consécutifs des personnes qui ne se connaissent pas. Dans ces groupes la liberté est totale ou du moins, comme cela est impossible, les contraintes sont particulièrement réduites. Les participants n'ont aucune tâche à accomplir sinon d'examiner ce qui se passe dans le groupe, dans l'« ici et maintenant ». L'animateur a pour rôle d'élucider les processus de groupe et d'aider le groupe à les élucider lui-même.

● Analyse institutionnelle. L'analyse institutionnelle est née de la critique de la dynamique de groupe à qui l'on a reproché de tout centrer sur l'affectif en évacuant l'analyse de l'institutionnel, voire du politique. L'analyse institutionnelle a pour but d'analyser ce qui se passe entre les personnes, entre les catégories de personnes, en examinant l'influence de l'institution sur les comportements et les attitudes.

● Séances d'analyse de groupe. De telles séances peuvent être décidées au cours de n'importe quel travail en groupe, lorsque « quelque chose ne va pas » et que le travail, la discussion n'avancent pas. L'animateur peut interrompre momentanément le travail du groupe pour examiner ce qui l'empêche de progresser ; pour cela, il fait appel aux ressources de l'analyse de groupe.

Répétons-le, l'objectif de ces réunions est très différent des autres. Il s'agit de comprendre le pourquoi et le comment de sa relation aux autres ou de sa relation à l'institution, et non de poursuivre un but extérieur à soi.

● *Réunions centrées sur le problème*

Le groupe se centre sur un problème à traiter en commun. Les questions traitées peuvent être fort variées ; ce peut être un problème très restreint, ou au contraire très général.

● Réunion-discussion. C'est le type de réunion le plus répandu mais aussi celui qui suscite le plus de malentendus car il est à la charnière de plusieurs sortes de réunions.

Une réunion-discussion est une discussion (de préférence entre un petit nombre de personnes) sur un thème particulier. C'est une discussion organisée, structurée, qui vise soit l'échange, soit l'approfondissement des connaissances et des opinions, soit la recherche d'une solution, soit la décision. C'est une forme de réunion que chacun peut être amené à conduire. C'est une des plus difficiles à animer car elle fait appel simultanément à toutes les qualités de l'animateur. C'est une méthode que l'on utilise au cours d'autres réunions. Aussi reviendrons-nous longuement sur la réunion-discussion.

● Étude de cas. C'était au départ une méthode pédagogique. A partir d'un cas écrit, étudié à l'avance par chacun, l'animateur organise une discussion. Le cas pose un problème concret et réel, rapporte des faits vécus, des opinions réellement émises, des décisions effectivement prises. La discussion comprend deux temps : une analyse approfondie du cas, la recherche des solutions possibles ou de la solution la plus adaptée. Cette méthode peut s'appliquer à n'importe quel domaine. Son mérite principal est d'entraîner à l'analyse d'un problème et à la prise de décision.

Par extension, on peut parler d'étude de cas lorsque le cas est présenté oralement. Ce n'est plus l'animateur qui élabore et présente le cas, mais un participant qui livre au groupe un « cas » qu'il connaît. La première phase de l'étude du cas est alors la recherche de l'information : le groupe interviewe en quelque sorte celui qui présente le cas. Puis on passe à l'analyse et à la recherche de solution.

● Brainstorming (ou tempête sous un crâne). On y recherche des idées nouvelles en faisant appel à l'imagination créatrice. Traditionnellement, lorsqu'on considère le développement méthodique de la pensée, on observe 3 moments : la position du problème, l'analyse des faits, le choix d'une solution. On confronte les idées, on les critique, on les combine.

Dans le brainstorming, au contraire, on saisit les idées à l'état naissant telles qu'elles arrivent à la conscience avant d'être engagées dans les processus rigides de la pensée logique. On privilégie la phase imaginative généralement laissée dans l'ombre.

Partant du principe que tout le monde est capable de produire des idées, que les non-spécialistes en produisent même de meilleures et que c'est la diversité des personnes et leur confiance mutuelle qui conduisent aux meilleurs résultats[1], on réunit un groupe mixte de 7 à 8 personnes. On explique clairement et en détail au groupe quel est le problème à traiter (par exemple, rechercher un nouveau produit, trouver un nouveau slogan, chercher quelle nouvelle action on pourrait mener). On invite les participants à laisser fonctionner leur imagination en disant toutes les idées qui leur passent par la tête. On interdit toute critique sur les idées. Ultérieurement, on procède à une analyse logique des idées en vue de la sélection des idées applicables.

Le brainstorming favorise la libération spontanée des idées en supprimant les freins à l'imagination et à l'esprit d'initiative : la crainte de l'opinion des autres, le sens du ridicule, par exemple.

• La créativité. Le brainstorming est déjà une réunion de créativité, historiquement la première et la plus répandue. Mais la créativité proprement dite pousse sa démarche beaucoup plus loin. Son but est de rechercher des idées, mais aussi, ce faisant, de libérer les personnes des contraintes qui entravent leur créativité. Pour cela, on fait appel à des techniques très élaborées. La phase de préparation — c'est-à-dire de déconditionnement par rapport à la manière habituelle de se comporter et de réfléchir — peut être très longue ; la phase de production des idées est la dernière et parfois la plus courte.

• Groupe Balint. Ces réunions périodiques de personnes exerçant sensiblement la même profession ont pour but d'aider chacun des membres du groupe à résoudre les difficultés qu'il rencontre dans l'exercice de sa profession. Le groupe Balint est une sorte de méthode des cas orale répétée et institutionnalisée où chaque participant est profondément impliqué affectivement. Chaque membre du groupe expose — le jour où il en éprouve le désir ou le besoin — un problème qu'il a rencontré.

---

1. Cette conception remet totalement en question quelques poncifs traditionnels.

Celui qui a exposé son problème y réfléchit avec l'aide de l'animateur et de tout le groupe. Comme les membres du groupe rencontrent des problèmes semblables puisqu'ils ont la même pratique professionnelle, l'analyse d'un cas est utile à tout le groupe.

- *Réunions de grands groupes*

Un certain nombre des réunions décrites ci-dessus peuvent être faites en grand groupe (réunions d'information descendante). Mais, le plus souvent, pour qu'un grand groupe ne se transforme pas en simple public, il faut user de méthodes particulières.

• Recueil des questions. C'est une méthode qu'on peut appliquer devant un groupe de 30 à 300 personnes si le sujet traité incite à la réflexion.

Après l'exposé du conférencier, l'animateur (ou éventuellement le conférencier qui prendra, mais avec plus de difficultés, un rôle d'animateur) ouvre la phase de discussion, annonce clairement son rôle (recueillir les questions) et demande au public de poser des questions qu'il recueille par écrit. Il ne répond à aucune question ni n'en refuse aucune. Il les classe ensuite par thèmes et pose à son tour au conférencier les questions — en nombre réduit — ainsi déterminées. Si c'est le conférencier qui a assumé ce rôle, il répond alors à ces questions.

On peut aussi recueillir les questions par écrit. Des papiers ont auparavant été distribués. On les ramasse, on les lit à haute voix — ce qui peut susciter d'autres questions — puis on les classe. Ce procédé favorise la libre expression grâce à l'anonymat, crée une animation plus générale dans la salle mais demande une meilleure organisation.

L'animateur peut aussi interviewer d'abord le public pour approfondir le sens réel, les intentions des questions posées, puis il interviewe à son tour le conférencier en faisant siennes les préoccupations du public.

• Recueil préliminaire des questions. Cette méthode peut être utilisée avec des groupes moyens de 30 à 80 personnes lorsque les auditeurs ont déjà des connaissances sur le sujet traité. Après avoir brièvement exposé la problématique du sujet, l'animateur recueille les questions préalables selon une des méthodes exposées ci-dessus. Le conférencier doit ensuite prendre soin d'y répondre dans le courant de son exposé. Cette méthode échauffe la salle et motive les auditeurs.

• *Panel.* Cette méthode est largement connue car elle est souvent utilisée à la télévision ou à la radio. Un noyau de participants représentatifs des différents points de vue à propos du sujet traité discute sous la conduite d'un animateur devant une assemblée qui est présente à la fois pour être informée et pour donner son avis. Les membres de l'assemblée peuvent donner leur avis soit en levant la main et en attendant que l'animateur leur donne la parole à un moment choisi par lui, soit en envoyant des papiers, soit en attendant qu'une question soit bien circonscrite et que l'animateur les invite à donner leur opinion ou poser des questions.

Cette méthode permet une information mutuelle mais aussi des prises de décision.

• *Phillips 66.* Cette méthode peut être pratiquée lorsqu'on désire obtenir la participation active d'un auditoire de 100 personnes et lorsque le problème à traiter est précis et délimité.

Après avoir exposé les problèmes, l'animateur invite l'auditoire à se fragmenter en petits sous-groupes qui peuvent rester sur place pour discuter. Les gens qui se connaissent déjà doivent éviter de se réunir dans le même groupe. Chaque sous-groupe élit un président qui assure la participation de chacun et un secrétaire, qui rapporte auprès de l'assemblée générale (une seule personne peut prendre ces deux rôles), puis il y a discussion du problème. A la suite de ces débats, les rapporteurs présentent les résultats de leur sous-groupe à l'assemblée générale. Le travail peut se poursuivre par une assemblée générale, un panel ou un niveau Phillips 66[1].

On obtient ainsi la participation complète d'un auditoire ; on recueille rapidement toute la gamme des opinions, suggestions, mais on n'obtient que des opinions relativement superficielles et on ne peut aborder ainsi des questions complexes.

La plus grande difficulté, dans des réunions de grands groupes, est de dégeler l'auditoire, d'obtenir une réelle participation tout en évitant le désordre. On risque parfois de se contenter d'une illusion de participation alors que peu de personnes ont en réalité posé des questions ou exprimé leur avis.

---

1. Phillips = du nom de son auteur ; 66 = 6 groupes discutant pendant 6 minutes. Mais les groupes peuvent comporter jusqu'à 8 personnes et discuter pendant 15 minutes.

- *Réunions de prise de décision*

Les réunions-discussions, les études de cas, les brainstormings peuvent être suivis d'une phase de prise de décision. On peut aussi organiser directement des réunions de décision.

Ces réunions comportent alors quatre phases : le relevé des faits (phase informative), les avis sur les faits (phase de discussion), la recherche de solutions (phase de création), la prise de décision (phase de choix).

L'animateur doit veiller à ce que les phases se succèdent dans cet ordre logique et doit empêcher que le groupe ne choisisse une solution avant d'avoir vraiment réfléchi au problème.

- *Réunions à stratégie*

Ce sont des réunions où des groupes aux intérêts et aux idées antagonistes se rencontrent et cherchent à obtenir le maximum d'avantages les uns des autres (ex. : Établissement d'une convention collective par des représentants du patronat et des syndicats ouvriers). Chaque groupe est dirigé par un leader qui cherche à conserver l'homogénéité de son groupe et à détruire la cohérence du groupe adverse. Il est très directif, oriente les interventions des membres de son groupe qui, acceptant la discipline, interviennent sur les points qui leur ont été dévolus dans des réunions préparatoires et aident les membres de leur groupe en cas de difficultés.

Dans ce type de réunion chaque groupe sait que l'autre va utiliser une stratégie ; dans des réunions de discussion ou de décision, un sous-groupe peut avoir une stratégie insoupçonnée des autres qui, eux, n'en ont pas. Le sous-groupe à stratégie intervient d'une façon moins organisée que précédemment. Son but est plus de convaincre simplement les autres que d'en obtenir des avantages.

Dans le cas des meetings politiques, quelques leaders cherchent à convaincre l'auditoire et à lui indiquer ce qu'il faut penser à propos de tel sujet ou de tel événement.

Dans ces deux types de réunions, le fait de convaincre est plutôt une fin. Dans presque toutes les réunions on traverse une phase où l'on essaye de s'influencer, de convaincre, mais c'est alors plutôt un moyen.

En lisant la description de ces différentes réunions, on se sera rendu compte qu'elles peuvent se compléter. L'animateur devra se repérer dans toutes ces formes de réunion pour arriver à choisir celles qui ont le plus de chances de répondre aux besoins d'une situation particulière et savoir en cours de réunion passer d'une méthode à une autre, s'il en ressent le besoin. L'animateur doit porter un diagnostic sur la situation et y adapter son action (éventuellement par des réajustements). En cela son action est comparable à celle du médecin (en réalité c'est le processus même de l'action) : il choisit un traitement en fonction de son diagnostic puis modifie le traitement suivant les réactions du malade.

Éléments pour comprendre les phénomènes de groupe

2

Les réunions, regroupements d'individus qui poursuivent un but commun par l'intermédiaire de communications surtout verbales, ont été étudiées dans le cadre de la psychologie des groupes. Les psychosociologues, expérimentalistes ou cliniciens, ont décrit et donné des systèmes d'explication de ce qui se passe dans les groupes et plus particulièrement dans les réunions.

C'est ce que nous allons maintenant examiner.

1. L'AFFECTIVITÉ

Un groupe, quel qu'il soit, vit à tout moment à deux niveaux :
- un niveau manifeste, rationnel, conscient, celui du travail effectué, de la tâche, en relation directe avec la réalité dite objective,
- un niveau implicite, irrationnel, généralement inconscient, dominé par l'imaginaire et l'affectivité.

La situation de groupe favorise le développement de l'affectivité par le simple fait que des personnes sont ensemble et par la spécificité de la relation groupale. Le fait d'être en groupe est en effet vécu au niveau profond de la personnalité.

C'est une situation conflictuelle : d'une part, on a besoin des autres pour réaliser ses propres objectifs précis (obtenir tel ou tel résultat) ou généraux (accéder à la sécurité, obtenir la protection ou la considération), ce qui entraîne à éprouver un sentiment positif vis-à-vis des groupes et des réunions. D'autre part, on cherche à prendre ses distances par rapport aux autres, à préserver sa liberté face aux autres que l'on ressent comme dangereux (la peur des autres). Ce sentiment crée une angoisse diffuse que chacun, et le groupe tout entier, cherche sans cesse à fuir.

Certains phénomènes de groupe peuvent être expliqués par cette fuite[1] que l'on réalise en partie au niveau rationnel en donnant une structure et des règles plus ou moins rigides de fonctionnement au groupe. Mais c'est cette fuite de l'angoisse qui régit une partie de « ce qui se passe » au niveau affectif dans le groupe qui trouve des réponses variées et alternées à des anxiétés et à des désirs remontant à l'époque où chacun construit sa personnalité, réactivés par la situation de groupe. La réapparition massive de l'imaginaire constitue ainsi l'obstacle majeur à l'adaptation à la réalité et à l'établissement de véritable coopération.

Dans la pratique, on rencontre souvent dans une réunion de la dépendance, quand, par exemple, le groupe s'en remet totalement au conducteur de réunion pour décider de la marche à suivre, quand il lui demande sans cesse son approbation, son secours ou simplement de redonner des informations qu'il a déjà transmises. On rencontre l'agressivité lorsque le groupe se met parfois à attaquer son animateur, à lui faire porter toutes les responsabilités des difficultés, à contester véhémentement sa compétence ou lorsque le groupe attaque un bouc émissaire.

Mais la vie en groupe est aussi vécue sur le mode positif. Les réunions se déroulent parfois dans un climat de jubilation silencieuse, d'exaltation ou de manifestations bruyantes et triomphales, symptômes du plaisir d'être ensemble. Ce sentiment du NOUS peut prendre la forme d'une connivence collective narcissique (il règne alors dans la réunion un climat de complaisance

---

1. Il faut, à notre avis, se garder de ne donner qu'une seule explication aux phénomènes de groupe mais au contraire opter pour un pluralisme explicatif. C'est cette pluralité qui est, à notre sens, le garant de la rigueur.

mutuelle) ou d'états communiels, c'est-à-dire de haute intensité émotionnelle où l'on communique sans se confondre, ce qui se manifeste par une compréhension et une acceptation mutuelles.

2. LES AFFINITÉS

Au cours d'une réunion, les affinités apparaissent rapidement. Souvent il suffit d'un coup d'œil, d'une phrase pour que l'on éprouve de la sympathie envers quelqu'un (dans les cas heureux la sympathie est réciproque, dans les cas malheureux elle est à sens unique). L'attirance envers autrui provient souvent de la similitude des caractéristiques individuelles, des intérêts, de l'idéologie et des valeurs.

Les affinités sont assez stables, surtout chez les adultes, mais peuvent éventuellement être remaniées sous l'influence de facteurs extérieurs.

3. LA COMMUNICATION

Tout travail de réunion passe par la communication qui est : « L'ensemble des processus physiques et psychologiques par lesquels s'effectue l'opération de mise en relation de une (ou plusieurs) personne(s) — l'émetteur — avec une (ou plusieurs) personne(s) — le récepteur —, en vue d'atteindre certains objectifs » (D. Anzieu, *La dynamique des groupes restreints*, p. 132).

On peut analyser la communication en se demandant :

qui	— l'émetteur, un individu, un groupe ou une institution
dit quoi	— le message
à qui	— le récepteur, un individu, un groupe ou une institution
où	— le contexte
pourquoi	— l'objectif

comment	— les moyens, le canal de transmission
avec quels résultats	— les effets.

La communication est ainsi à la fois un contenu, le message, et une opération, l'action de communiquer impliquant des interlocuteurs, des objectifs, des moyens et des effets.

Le schéma le plus simple de la communication

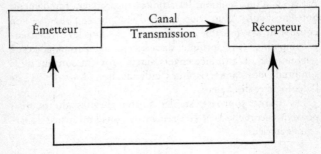

Feed-back

permet de faire apparaître quelques-unes des altérations[1] de la communication venant de son incomplétude ou de sa distorsion.

L'incomplétude peut être due à l'émetteur s'il n'arrive pas à coder (c'est-à-dire à traduire ce qu'il veut exprimer en signes — tout langage étant un sytème de signes) son message, s'il ne peut formuler devant le groupe ce qu'il ressent ou ce qu'il sait pour des raisons affectives ou intellectuelles, à cause de certains tabous ou de la situation relationnelle elle-même (lorsqu'une réunion groupe des personnes en relation de dépendance hiérarchique, par exemple).

L'incomplétude peut être due au récepteur, lorsqu'il ne peut décoder le message (lorsqu'il ne connaît pas suffisamment le code — par exemple, lorsque l'émetteur emploie un langage trop technique), lorsqu'il est assailli par une trop grande quantité de messages sans pouvoir réclamer la répétition, ou à cause du phénomène de filtre. On trie sans s'en rendre compte le contenu

1. Nous ne nous intéressons ici qu'aux phénomènes psychosociaux, négligeant les obstacles purement physiques.

des messages en fonction de ce que l'on « veut » percevoir — le filtre est constitué par le système de valeurs auquel on se réfère.

Les distorsions — ce qui est reçu est différent de ce qui est transmis — peuvent venir de l'émetteur, lorsqu'un individu fournit involontairement des informations mal comprises, ou lorsqu'il fausse volontairement les informations émises par crainte, par agressivité ou intention manipulatrice.

Elles peuvent venir du récepteur avec le phénomène du halo. Le halo est, au sens propre, le cercle lumineux qui entoure quelquefois le soleil ou la lune. Au sens figuré, c'est ce que l'on perçoit en plus du message transmis. Le halo est constitué par la résonance symbolique du message qui déclenche une chaîne d'associations constituant une facilitation à la communication (lorsque les interlocuteurs font les mêmes associations) ou un obstacle. Il existe des halos socio-culturels — certains mots à forte charge affective induisent les mêmes associations dans un groupe social donné — et des halos personnels, renvoyant à l'histoire particulière de chacun.

Le halo, comme le filtre, est produit par le système de référence, système d'opinions, de valeurs auquel on se rapporte.

La distorsion peut également venir de la projection. Elle consiste d'une part à attribuer à autrui ses propres sentiments, idées, valeurs (croire que les autres pensent comme vous, éprouvent les mêmes sentiments, par exemple, croire que lorsqu'on aime quelque chose, tout le monde l'aime), d'autre part à trouver en autrui la justification de sa propre attitude envers lui (par exemple, lorsqu'on déteste quelqu'un, penser que c'est lui qui vous déteste ou vous veut du mal).

Ainsi, entre l'intention de communication et la communication réelle, assiste-t-on à une déperdition et à une transformation. L'émetteur et le récepteur avec le feed-back intervertissant continuellement leurs rôles, les dangers que nous venons de souligner concernent tous les membres du groupe.

Mais les communications, dans une réunion, ne se font pas au hasard, elles empruntent des réseaux différents selon les situations.

Les expérimentalistes ont étudié l'influence des réseaux de communication sur la communication elle-même en faisant travailler ensemble des individus placés dans les différents réseaux existants, reproduits en laboratoire.

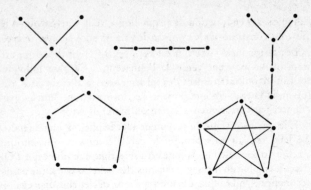

R centralisé R en chaîne R en Y   R circulaire R complet.

En simplifiant beaucoup, on peut dire qu'ils sont arrivés aux conclusions suivantes :

● *Pour la performance*

Pour des tâches simples, ne nécessitant pas une grande réflexion,
● Plus le groupe est centralisé, plus il est efficace.
● Les erreurs sont corrigées dans les réseaux circulaires (ou complets) alors qu'elles persistent dans les réseaux plus centralisés (centralisé, en Y).
● Pour des tâches nécessitant la réflexion ou la coopération, ce sont les sytèmes les plus centralisés qui sont le moins efficaces car le sujet central s'arroge le rôle de penseur, résistant aux suggestions. Il y a donc une forte perte de potentiel productif. Pour des tâches difficiles, c'est le réseau complet qui est le plus efficace.

● *Pour le moral*

Ces résultats sont importants car à long terme le moral réagit sur la performance.
● Les réseaux centralisés provoquent une grande différence de satisfaction pour les sujets centraux et périphériques. Les sujets centraux sont contents (la communication passe par eux, ils décident) jusqu'à un seuil de saturation, car lorsqu'ils reçoivent trop d'informations, ils ne peuvent plus les traiter et perdent confiance en eux. Les sujets périphériques (qui n'ont qu'à obéir et à transmettre des informations) sont mécontents, ils doutent de la valeur et de l'intérêt du travail.

• Dans les réseaux circulaires (et complets) tout le monde est satisfait, heureux de pouvoir collaborer à une tâche commune et chacun trouve le travail intéressant.

On voit ici que la structure du réseau détermine, pour une part, les attitudes psychologiques.

4. LES NORMES DE GROUPE

Une norme est ce qui apparaît convenable, valable, désirable et dont la non-observance entraîne réprobations ou sanctions. Ainsi existe-t-il au sein des groupes un ensemble de constances dans les comportements. Ces régularités sont régies soit par des règlements codifiés, soit par des coutumes, des rites connus du groupe et implicitement acceptés par tous mais non codifiés.

Un individu faisant partie d'un groupe est implicitement tenu d'en respecter les normes car le groupe met en place une sorte de contrôle social avec des recommandations, des obligations et des interdictions et obtient l'adhésion aux normes par un jeu de punitions et de gratifications. Les normes sont alors intériorisées par les membres des groupes.

On a l'habitude de distinguer les normes communes à tous les membres d'un groupe (ou même d'une société globale) et les normes de rôle qui prescrivent les conduites de chacun et ce que chacun attend d'autrui en fonction de son statut.

5. LES RÔLES

Dans une réunion, les individus tendent à se spécialiser.

Leurs rôles dépendent de leur statut, position qu'ils occupent dans un système social (une même personne a plusieurs statuts, par exemple ceux de citoyen, de vendeur, de fils, de père, de syndicaliste).

Les autres attendent aussi ou parfois même exigent un comportement en fonction de l'idée qu'ils se font du statut et du rôle. On appelle ce phénomène l'attente de rôles. Les rôles sont interdépendants : tout rôle nous met en contact avec un ou plusieurs partenaires qui se définissent par rapport à nous, pendant que nous nous définissons par rapport à eux.

Dans les relations sociales et au cours des réunions en particulier peuvent apparaître des conflits de rôle, soit interpersonnels entre l'attente de rôle des autres et le rôle que l'on désire jouer, soit intrapersonnels — à l'intérieur de soi-même — entre des rôles correspondant à des statuts différents (par exemple, un conducteur de réunion qui fait partie de la Direction, pris entre la nécessité de l'impartialité lorsqu'il conduit une réunion et le désir de défendre son point de vue personnel en tant que dirigeant de l'entreprise).

En ce qui concerne spécifiquement les réunions, on a l'habitude de distinguer trois catégories de rôles :

● Les rôles centrés sur la tâche qui facilitent et coordonnent l'effort du groupe dans son travail. Les personnes qui, par exemple, assurent le secrétariat du groupe, qui informent, qui critiquent, qui lancent des idées ont des rôles centrés sur la tâche.

● Les rôles de maintien de la cohésion du groupe qui ont pour but de maintenir le moral du groupe, de réduire les conflits, d'assurer la sécurité et de veiller à l'expression de chacun, de soutenir le niveau d'aspiration. Les personnes qui, par exemple, stimulent, protègent ou médiatisent ont des rôles de maintien de la cohésion.

● Les rôles centrés sur des besoins individuels qui se développent au détriment de la tâche. On peut citer ceux qui aiment se faire valoir, ceux qui veulent s'imposer personnellement, ceux qui se racontent, ceux qui recherchent la sympathie.

6. L'INTERACTION

Il y a interaction lorsque l'action d'une personne agit comme un stimulus et provoque la réponse d'une autre personne et réciproquement : l'interaction est donc un processus circulaire que l'on rencontre constamment dans les réunions.

Bales[1], observant de nombreux groupes de discussions, a élaboré une catégorisation [2] permettant de montrer qu'on obtient une réaction d'autrui en :

---

1. Psychologue américain.
2. Cette catégorisation permet en outre de déceler les différentes phases des discussions.

Aire socio-affective positive	{	Faisant preuve de solidarité Se montrant détendu Approuvant
Aire socio-opératoire (les tâches)	{	Donnant une direction, une suggestion Donnant une opinion Donnant une information, un résumé Demandant une information Demandant une opinion Demandant une direction
Aire socio-affective négative	{	Désapprouvant Manifestant une tension, de la gêne Manifestant de l'agressivité.

On voit une fois de plus que l'interaction se situe à deux niveaux : celui de l'affectivité et celui des tâches proprement dites.

En outre cette grille permet d'observer que les interactions ne se distribuent pas uniformément dans les groupes. Elles diffèrent quant à leur nombre et à leur type en fonction de l'influence et du rôle de chacun.

7. LE LEADERSHIP

En abordant les problèmes des rôles et de l'interaction, on a pressenti que certaines personnes avaient plus d'influence que les autres. Pour désigner cette influence, on a pris l'habitude d'utiliser les mots anglo-saxons, sans doute plus souples, de leader et de leadership.

La notion de leadership recouvre à la fois une action et une relation avec le groupe.

L'exercice concret de l'autorité dépend des normes collectives ambiantes, des situations concrètes et de la personnalité du leader. Ainsi deux leaders différents ne se conduisent pas de la même façon dans la même situation, en face des mêmes personnes.

On pourrait définir l'autorité (ou le leadership) par le pouvoir statutaire de celui qui l'exerce, mais ce ne serait pas suffisant : chacun a constaté que certaines directives ne sont jamais exécutées. Il est donc préférable de la définir par son acceptabilité de la part de celui qui la subit.

Le leadership a souvent pour complément la dépendance qui peut être d'ordre rationnel (manque d'information, manque de compétence) ou d'origine affective. Cette dernière, qui tient une place importante dans la structuration des groupes, peut avoir pour base l'amour, la crainte, l'agressivité, la peur des situations conflictuelles, de l'angoisse et de la culpabilité.

L'autorité statutaire peut être exercée sur le mode autocratique ou sur le mode démocratique. Des expériences méthodologiquement très rigoureuses de Lewin, Lippitt et White permettent de comparer les effets de ces deux modes : ils ont observé des groupes de jeunes garçons se livrant à une activité récréative (modélisme) sous la direction d'un adulte.

Le moniteur autocratique prend toutes les décisions, détermine les activités et les techniques à appliquer, répartit la tâche entre les membres du groupe et compose les sous-groupes de travail, évalue le travail de chacun sans prendre part personnellement aux activités.

Le moniteur démocratique prend toutes les décisions en commun avec le groupe ; après avoir défini l'objectif général, il laisse choisir les activités et la technique à appliquer, il laisse les membres du groupe se répartir la tâche et composer librement les sous-groupes de travail et coopère personnellement aux activités.

Les expériences ont permis de montrer l'influence de ces deux styles d'autorité :

- Sur les structures de communication

Le style autocratique induit une structure centralisée : toutes les communications passent par le moniteur, les échanges spontanés entre les membres du groupe étant d'ailleurs réduits.

Le style démocratique induit une structure plus ramifiée, facilite les échanges et augmente la cohésion.

- Sur les conduites à l'égard du moniteur

Le style autocratique induit, en réponse à l'imposition et au contrôle évaluatif, une tendance à la dépendance.

- Sur le rendement ou l'efficacité

Le rendement est sensiblement équivalent, mais dans les groupes « autoritaires », il baisse brusquement lorsque le moniteur s'absente car le groupe ne peut travailler seul, tandis que les groupes « démocratiques » ne sont pas affectés par ce départ.

- Sur le climat collectif

Le style autoritaire induit l'agressivité et l'apathie réactionnelle. L'agressivité se tourne plus vers les autres membres du groupe que vers le moniteur qu'on ne « peut » agresser : il y a transfert d'agressivité et l'on voit apparaître des phénomènes de compétition générale, de boucs émissaires. L'apathie cache une agressivité latente car on voit surgir des poussées agressives allant jusqu'à la détérioration du matériel et du travail accompli. Le style coopératif suscite un esprit de coopération en permettant les initiatives qui peuvent se développer dans le cadre d'une organisation librement consentie et entraîner un sentiment de satisfaction.

Ainsi, c'est le style démocratique qui entraîne le maximum d'efficacité avec le maximum de satisfaction pour les participants.

8. LA COHÉSION, LE CONFORMISME ET LA DÉVIANCE

Sans cohésion, il n'y a pas de groupe.

La cohésion est ce qui maintient ensemble les membres du groupe, c'est l'attrait global qu'exerce le groupe pour tous ses membres. Lorsqu'on décrit la cohésion, on insiste soit sur le contrôle, et la pression vers l'uniformité, soit sur le sentiment du NOUS et de l'être-ensemble.

Parmi les facteurs qui agissent sur la cohésion, on peut compter, avant la constitution du groupe réuni, l'influence des contrôles sociaux, la dépendance hiérarchique de tel groupe vis-à-vis d'un ensemble plus large, la similitude ou la différence des statuts sociaux et des cadres de référence des individus rassemblés.

Pendant la réunion, on peut compter le plaisir d'appartenir au groupe (les groupes qui se réunissent souvent sont plus cohésifs), le plaisir de participer à une action collective, le plaisir de poursuivre un but en commun, le plaisir d'échapper à la solitude, de rencontrer des personnes pour qui on a de la sympathie. La distribution des rôles et le mode de leadership agissent aussi sur la cohésion.

On a compris que c'est une pression interne produite par la situation collective qui fait apparaître des conduites cohésives qui renforcent la pression interne et contribuent aussi à cristalliser le groupe : c'est une réaction circulaire.

Trois conduites forment cette pression : le conformisme, la résistance à la déviance et l'agressivité potentielle envers l'extérieur.

Le conformisme se traduit par des normes et des modèles spécifiques et rigides.

Dans cet univers où tout le monde a tendance à éprouver, penser, parler de la même façon, toute conduite qui tend à s'écarter des normes du groupe est perçue comme déviante. Le déviant est celui qui choisit — délibérément ou non — de transgresser ou de transformer les normes du groupe. Il provoque contre lui les réactions de la majorité conformiste qui résiste à la déviance. La déviance n'est pas une simple conduite individuelle. Elle a une fonction de régulation dans le groupe : elle apparaît lorsque les modèles coutumiers deviennent inadaptés. Le déviant positif est un être imaginatif qui est aussi plus sensible que les autres à l'urgence du changement. Mais l'évolution continue et ce qui était déviance devient conformisme car l'innovateur ne peut réussir que s'il entraîne un mouvement de partisans qui adhèrent à cette nouvelle conformité.

9. LE CHANGEMENT ET LA RÉSISTANCE AU CHANGEMENT

L'introduction de changements soulève des résistances souvent considérables. Même si le courant déviationniste est très fort, la transition s'avère toujours difficile.

La résistance au changement peut venir du manque d'information ou de consultation, ce qui donne l'impression qu'un pouvoir supérieur dispose de vous. Elle peut provenir de la difficulté à réaliser une autre adaptation. Elle peut tenir à des phénomènes de solidarité et de pression collectives : tant que l'individu se conforme aux modèles du groupe, il est approuvé et protégé par lui ; s'il passe outre, il risque d'entraîner la réprobation voire la sanction des membres du groupe.

Pour introduire un changement, on peut soit augmenter les pressions dans le sens du changement soit diminuer les résistances. Si les membres du groupe admettent ensemble la mise en question de leurs normes, le processus d'évolution est amorcé. Ainsi, au cours d'une réunion, on risque de se heurter à une forte résistance au changement puis on voit ensuite le groupe changer relativement rapidement soit dans sa façon de procéder soit dans ses opinions.

10. LA PRISE DE DÉCISION

Nous avons déjà indiqué que les phases de la prise de décision sont les phases d'information, de création et de choix.

Les principaux obstacles à la progression vers une décision peuvent être l'existence de buts imposés, un niveau d'aspiration trop élevé, l'absence d'un accord suffisant, des prises de décision prématurées, le passage à l'exécution avant la manifestation explicite de l'accord. Les processus de la prise de décision sont dominés par l'existence de conflits. Ceux qui se manifestent au grand jour traduisent une opposition intellectuelle au sujet du contenu de la discussion. Mais ils sont souvent sous-tendus par des conflits affectifs et des luttes interpersonnelles. Si le groupe est bloqué par son conflit affectif, il ne peut progresser qu'en en prenant conscience.

Pour parvenir à une décision, il faut arriver à un accord, obtenu par un consentement composé d'acceptation de soi et d'autrui et des relations entre soi et autrui. C'est pourquoi un groupe apprend à prendre des décisions pendant que chacun de ses membres apprend la liberté individuelle à l'intérieur du groupe. Une décision a aussi plus de chances d'être efficace si les mobiles et les buts personnels sont clarifiés et s'il règne un climat de tolérance par rapport au point de vue d'autrui. C'est pourquoi on ne peut définir d'une manière absolue ce qu'est une décision « démocratique ». Car chaque groupe trouve un accord fondamental sur ses propres normes de fonctionnement.

N'importe quelle réunion peut être analysée par l'intermédiaire de ces thèmes et de tous ces thèmes réunis. Ils permettent à la fois de « voir » ce qui se passe pendant la réunion et d'en comprendre la dynamique[1]. Il ne s'agit pas de rechercher une cause unique, mais plutôt la convergence des causes qui produisent tel phénomène pendant le déroulement de la réunion.

Les thèmes que nous avons évoqués ici nous introduisent au rôle de conducteur de réunion qui devrait dans l'idéal veiller à réduire les anxiétés affectives et augmenter la satisfaction devant une situation collective, à stimuler les échanges par le jeu des affinités sans scinder le groupe, à réduire les obstacles à la communication, à favoriser l'existence d'un réseau de communication adéquat, à permettre au groupe de trouver ses normes de fonctionnement en évitant la rigidité, à répartir les rôles en fonction des désirs et des aptitudes de chacun, à stimuler l'interaction, à réguler les phénomènes d'influence, à augmenter la cohésion, à réduire la résistance au changement, à créer les conditions d'une prise de décision efficace.

---

1. Nous incitons à quelques lectures théoriques d'accès facile, car la réflexion et l'analyse s'approfondissent quand elles s'appuient sur des concepts de référence. Cf. la bibliographie.

Le rôle
du conducteur
de réunion

3

Le conducteur de réunion, ou animateur de réunion, est littéralement celui qui fait passer le groupe de l'inanimé (la passivité) à l'animé (l'activité). Nous examinerons donc ici les réunions où le groupe est lui-même productif et où le rôle de l'animateur est de permettre au groupe d'atteindre ses propres objectifs[1].

Ceci définit en même temps l'étendue des groupes dont nous parlerons : pour que l'ensemble des participants puissent être actifs en interagissant et pour que le conducteur de réunion puisse tout percevoir, le groupe ne doit pas être trop important. L'optimum se situe autour de 12 personnes. Nous envisagerons donc ici des réunions ne groupant pas plus de 20 personnes. Au-delà, le conducteur de réunion pourra appliquer une méthode d'animation de grands groupes[2].

Un groupe en discussion fonctionne à trois niveaux d'activité :
- Le niveau du contenu : les informations, les idées, les décisions, en rapport avec le thème et l'objectif.
- Le niveau de la procédure : la manière dont le groupe s'organise, procède pour traiter le contenu.
- Le niveau affectif : les sentiments éprouvés dans la relation à autrui au cours de la discussion.

A ces trois niveaux correspondent trois fonctions qui s'organisent autour du but à atteindre à l'issue de la discussion :

1. C'est en effet le rôle le plus diversifié et toute autre situation de responsabilité face à un groupe activera l'une des composantes du rôle d'animateur de réunion.
2. Voir chapitre 1.

- La fonction de production — Informations, opinions, suggestions, solutions.
- La fonction de facilitation (de la production) — Organisation et stimulation.
- La fonction d'élucidation (des processus relationnels) — Analyse des phénomènes affectifs, notamment lorsqu'ils entravent la marche du groupe vers ses buts.

C'est dans les attitudes à l'égard de la production, de la facilitation et de l'élucidation qu'apparaît la distinction la plus fondamentale entre les différents styles de conduite de réunion.

Ainsi la réponse à la triple question : qui remplit quelles fonctions et comment, permettra soit de porter un diagnostic sur le style d'animation pratiquée, soit, pour le conducteur de réunion, de choisir son mode d'intervention en fonction de l'objectif de la réunion, de son thème, de l'institution organisatrice, des individus réunis et de sa personnalité propre.

Les trois fonctions peuvent être assumées par le groupe seul, comme dans la réunion conversationnelle, ou par l'animateur seul, comme dans une réunion de transmission d'ordre. C'est entre ces deux extrêmes que se situent les différents styles de conduite de réunion.

1. LES STYLES DE CONDUITE DE RÉUNION

La classification la plus généralement admise distingue :

- Le style directif
- Le style coopératif
- Le style non-directif

Cette première classification sommaire doit être nuancée par une différenciation entre des interventions sur le fond ou sur la forme de la discussion. Le fond de la discussion, ce sont les idées, les critiques, les évaluations, les prises de positions, les suggestions, les solutions.

La forme, c'est tout le reste, tout le processus qui permet au fond de surgir.

Ainsi, le conducteur de réunion qui intervient à la fois sur le fond et la forme émet personnellement des idées, des critiques, des jugements, des suggestions, il propose des solutions : il s'implique personnellement dans la discussion. Le conducteur de réunion qui n'intervient que sur la forme ne s'implique pas personnellement dans le contenu de la discussion. Il permet simplement aux autres d'intervenir sur le fond avec plus d'efficacité.

Aussi peut-on distinguer :

● *Le style directif total (sur le fond et la forme[1])*

Intervention sur la production en s'impliquant personnellement.

Intervention sur la facilitation.

En imposant l'objectif, la problématique du thème, la méthode de travail, le plan.

En organisant la discussion dans une structure centralisée autour du conducteur de réunion.

Pas d'intervention sur l'élucidation, les relations entre les membres du groupe étant d'ailleurs ici quasiment inexistantes.

● *Le style directif sur la procédure (sur la forme)*

Pas d'intervention sur la production, sauf pour fournir des informations ou des définitions.

Intervention sur la facilitation.

En imposant l'objectif, la problématique du thème, la méthode de travail, le plan.

En organisant la discussion dans une structure centralisée.

Pas d'intervention sur l'élucidation, les relations entre les membres du groupe étant quasi inexistantes.

● *Le style coopératif total (sur le fond et la forme)*

Intervention sur la production en s'impliquant personnellement.

Intervention sur la facilitation.

En coopérant avec le groupe pour déterminer l'objectif, la problématique du thème, la méthode de travail, le plan.

En organisant la discussion dans une structure décentralisée pour favoriser les échanges entre les membres du groupe.

Intervention sur l'élucidation.

En donnant des interprétations sur les processus relationnels[2] ou en incitant le groupe à cette opération.

1. A la limite, ce n'est pas véritablement une conduite de réunion.
2. Avec difficulté, puisque l'animateur est lui-même impliqué dans les échanges.

• *Le style coopératif sur la procédure (sur la forme)*

Pas d'intervention sur la production sauf pour fournir des informations ou des définitions.
Intervention sur la facilitation.
En aidant le groupe à choisir lui-même l'objectif, la problématique du thème, la méthode de travail, le plan.
En organisant la discussion dans une structure décentralisée pour favoriser les échanges.
Intervention sur l'élucidation.
En aidant le groupe à analyser lui-même ses relations internes.

 • *Le style non-directif*

Pas d'intervention sur la production, ni sur la facilitation.
Intervention sur l'élucidation :
Le style non-directif ne peut s'appliquer à des discussions centrées uniquement sur le problème.
La notion de non-directivité a été développée, dans le champ de la psychologie, par Karl Rogers. La méthode non-directive est appliquée en psychothérapie, dans l'aide psychologique, en psychothérapie de groupe et dans la formation de groupes aux problèmes des groupes.
Elle s'appuie sur une théorie de la personnalité et requiert des attitudes d'écoute totale, de compréhension empathique[1] dans la relation à autrui. Ces attitudes se traduisent au niveau de la méthode par le reflet-élucidation.

Ces styles peuvent être présentés dans le tableau suivant :

		Directif total	Directif sur la procédure	Coopératif total	Coopératif sur la procédure	Non-directif
Interventions sur le fond : production		X		X		
Interventions sur la forme	Facilitation	X	X	X	X	
	Élucidation			X	X	X

---

1. Compréhension d'autrui totale, intérieure, profonde. Il s'agit de sentir le monde intérieur de l'autre comme s'il était le nôtre mais sans se substituer à l'autre (sans projection et sans identification).

On voit, grâce à ce tableau, que la fonction principale du conducteur de réunion est la fonction de facilitation. Ce qui différencie les styles, c'est la manière dont elle est remplie.

C'est pourquoi nous allons maintenant décrire en détail comment la fonction de facilitation peut être assumée, et décrire seulement succinctement la fonction d'élucidation. Il est naturellement impossible de présenter les interventions de production puisqu'elles sont constituées par des idées personnelles.

2. LA FONCTION DE FACILITATION

Cette fonction est remplie selon deux axes :
- celui du contenu de la discussion
- celui des participants à la discussion.

— Fonction de l'animateur par rapport au contenu.

• *Au début de la discussion*

• Exposer clairement le sujet.
Les répétitions ne sont pas inutiles, car il y a souvent des personnes inattentives ou qui n'ont pas compris. Il est préférable d'expliquer de nouveau le sujet sous une autre forme, avec d'autres mots, en adaptant son langage au groupe.

L'exposition du sujet doit être dynamique, c'est-à-dire susciter la réflexion par la mise en place d'une problématique générale.

• Rappeler l'objectif.
L'objectif est le plus souvent préalable à la réunion. Pour que le groupe sache pourquoi il discute, il est indispensable de le rappeler clairement — avec une répétition — et de bien faire comprendre la différence entre le sujet et l'objectif (s'informer, échanger, prendre une décision, préparer une action, par exemple).

Il est préférable de ne poursuivre qu'un objectif à la fois. On est parfois tenté au cours de la réunion de changer d'objectif, mais il faut alors le faire explicitement.

• Choisir une méthode de discussion et un plan de travail.

On ne procède pas de la même façon dans les différents styles de conduite de réunion. L'animateur directif choisit lui-même une méthode et un plan qu'il impose au groupe. Il court le risque de voir ce plan remis plus tard en question car il ne correspond pas au plan optimum pour le groupe.

L'animateur coopératif total propose une méthode et un plan au groupe pour le négocier ou coopère avec le groupe pour choisir la méthode et le plan définitifs.

L'animateur coopératif sur la procédure aide le groupe à choisir lui-même méthode et plan.

Les deux styles coopératifs sont plus longs au début mais la discussion part sur de meilleures bases et le groupe sera moins tenté de revenir sur un plan qu'il s'est lui-même choisi.

Les écueils sont ici l'improvisation et le formalisme excessif.

• Faire démarrer la discussion.

On peut répéter le sujet, le plan, aborder le premier point ou poser une question d'amorçage et surtout attendre. Les deux écueils principaux sont de parler trop longtemps, ce qui enferme dans une relation à sens unique, et de ne pas attendre assez longtemps, de rompre le silence qui permet aux participants de réfléchir et crée une légère tension qui les incitera à parler.

• *Au cours de la discussion*

• Faire respecter l'objectif, le sujet, le plan de travail ou l'ordre du jour.

La difficulté est de ne pas tomber dans l'autoritarisme et le formalisme par peur de se laisser dépasser par la discussion ou dans le laisser faire par peur de se faire agresser par le groupe.

Le problème est de savoir établir un équilibre entre la progression logique et la nécessité des digressions et de la souplesse.

L'animateur directif opte pour le respect de la progression logique. Il impose au groupe de revenir au point de l'ordre du jour.

L'animateur coopératif est plus souple. Il permet de légères digressions (parfois utiles pour la réflexion et pour la création d'un climat de coopération).

Pour faire respecter l'objectif, il demande quel objectif le groupe est en train de poursuivre ou rappelle l'objectif ; pour faire respecter le plan de travail, il situe ses reformulations et ses synthèses dans le cadre du plan de la discussion[1].

Il peut rappeler quel est le point traité ou éventuellement vérifier s'il y a toujours accord sur le plan ou la méthode de discussion.

• Faire le point par rapport à l'objectif général.

Il s'agit de vérifier que l'on poursuit toujours le même objectif : ceci permet d'éviter les digressions, de donner confiance au groupe en lui faisant prendre conscience de sa progression, de relancer la discussion. Lorsque le groupe a perdu son objectif, il faut porter un diagnostic sur l'objectif implicitement poursuivi et trouver le bon moment pour faire le point.

• Faire le point par rapport au plan.

Chacun peut alors se situer, et la discussion peut repartir sur des bases solides. La difficulté est de savoir doser ces interventions et de les faire au bon moment, le risque étant de tomber dans le formalisme, ou dans le laisser faire.

• Formuler des synthèses partielles.

Les synthèses partielles doivent résumer l'ensemble des opinions émises, prendre acte des désaccords, souligner les accords et les positions acquises, mentionner les décisions. C'est peut-être l'opération la plus fondamentale. Elle permet aux inattentifs ou à ceux qui n'avaient pas compris de se réintégrer dans la discussion. Certaines idées, mêmes importantes, ne sont pas prises en compte par le groupe : elle permet au groupe de les comprendre, tout en redonnant confiance à ceux qui les avaient émises.

Elles permettent d'intégrer dans la mémoire du groupe les résultats acquis et d'éviter les retours en arrière. Il est difficile de faire des synthèses à cause des baisses de l'attention, des difficultés de la mémorisation et du « manque d'esprit de synthèse ». Mais on peut s'y exercer avec des reformulations systématiques et suppléer au manque de mémoire par la prise de notes. Les écueils sont dans le formalisme et surtout le manque d'objectivité, volontaire ou involontaire.

Le manque d'objectivité volontaire renvoie à la manipulation : pour influencer le groupe sans qu'il s'en rende compte, on

---

1. Ex. : Abordant le point suivant de notre plan de discussion, nous venons de dire que ••• ce qui nous amène au point suivant.

ne reprend que quelques éléments dans ses synthèses. La manipulation risque d'être découverte par le groupe qui réagit — à juste titre — avec violence ; elle est toujours confusément sentie, elle perturbe la discussion, elle est contraire à l'objectif du conducteur de réunion.

Le manque d'objectivité involontaire provient des lacunes de la mémoire mais aussi de toutes les difficultés de la communication[1], en particulier de la projection, du filtre, de la scotomisation[2], du halo.

● Relancer la discussion.

Le point par rapport à l'objectif, au plan, les synthèses partielles sont déjà des moyens de relancer la discussion. L'animateur a encore deux ressources : la reformulation et les questions.

La reformulation consiste à renvoyer au groupe ce qui vient d'être dit, en retenant l'essentiel et la signification profonde de ce qui a été dit.

Les questions peuvent être des questions-reformulation ou de « vraies questions ».

L'animateur coopératif sur la procédure utilise des questions-reformulation :

La question-miroir consiste à renvoyer à l'ensemble du groupe une question posée à l'animateur ;

La question-relais consiste à renvoyer à un participant une question posée à l'animateur ;

La question-écho consiste à renvoyer la question à celui qui la pose ;

La question-relance consiste à rappeler une question posée antérieurement et laissée sans réponse ;

La question-test consiste à faire définir un mot ou un concept pour vérifier que tout le monde l'emploie dans le même sens.

On voit que dans la reformulation et l'ensemble de ces questions les idées émanent en réalité du groupe, l'animateur les renvoyant de diverses façons : l'animateur intervient au niveau même de la pensée du groupe.

L'animateur coopératif total utilise les questions-miroirs et de « vraies » questions générales ou partielles posées à l'ensemble du groupe ou à un participant. Il intervient alors en fonction de sa problématique personnelle.

1. Voir chapitre 2.
2. Processus selon lequel on « oublie » tout ce qui gêne.

L'animateur directif total pose de « vraies » questions en fonction du schéma de discussion qu'il s'est fixé et de ses propres idées.

L'animateur directif sur la procédure utilise plutôt de « vraies » questions mais recourt aussi aux questions-reformulation.

L'animateur coopératif sur la procédure utilise les questions-miroirs. Il se situe au niveau du groupe.

— Fonction de l'animateur par rapport aux participants.

. Définir les rôles.

L'animateur doit définir les rôles de chacun et le sien en particulier pour permettre aux autres d'ajuster leurs attentes. Ce faisant, il définit aussi les zones de liberté réciproque. Dans la pratique, ceci revient à définir son style d'animation.

. Maintenir la discipline et la parole.

Il arrive que tout le monde parle à la fois, qu'il y ait des bavards et des silencieux.

Il s'agit de trouver un équilibre dans les prises de parole en fonction des objectifs et des ressources de chacun.

On peut choisir de donner préférentiellement la parole à ceux qui paraissent devoir faire le plus progresser la discussion, à ceux qui ne la demandent pas souvent ou à ceux qui manifestent par quelques gestes, mimiques ou attitudes qu'ils voudraient parler, sans oser s'imposer.

Face à un bavard, on peut résumer, puis rappeler l'horaire et la nécessité d'expression de tous et demander d'être bref ; en dernier recours, on peut couper la parole en résumant l'intervention et donner la parole à quelqu'un d'autre (et non au groupe dans l'anonymat car le bavard risquerait de la reprendre).

L'animateur directif opte pour une méthode forte, l'animateur coopératif pour une méthode douce.

Face au silence prolongé d'un participant, on peut renouveler régulièrement l'appel à la participation et éventuellement, si la participation verbale de cette personne est indispensable, organiser un tour de table sur un point particulier. Cela lui permettra de saisir l'occasion pour parler à son tour.

. Tenir compte des particularités et des ressources de chacun.

Tout le monde n'a pas la même façon de réagir à la situation de groupe. Il faut donc créer un climat suffisamment permissif pour que chacun puisse intervenir selon son propre style de participation.

L'animateur directif, surtout centré sur les problèmes de contenu et organisant la discussion dans une structure centralisée et rigide, n'y parvient généralement pas.

• Équilibrer les moments de discussion et de réflexion.

La réflexion est nécessaire à la progression. Or, la plupart du temps, participants et animateurs ont peur du silence et se mettent à parler pour « meubler le silence ».

Il faut donc créer des moments de silence non angoissants. On peut utiliser le tableau, faire des pauses ou proposer un moment de réflexion pendant lequel chacun écrira ses idées principales.

3. LA FONCTION D'ÉLUCIDATION

L'animateur peut recourir à cette fonction quand les interventions sur la facilitation ne suffisent plus pour permettre au travail de progresser. C'est sans doute que le groupe est « bloqué » par un phénomène affectif.

Il faut donc catalyser l'analyse des processus relationnels pour surmonter, par exemple, des oppositions de clans, des rivalités personnelles, de prestige ou de pouvoir, des oppositions de sexe ou un climat dépressif ou apathique.

Cette fonction est particulièrement difficile à assumer : il faut sentir quand et pourquoi le groupe est bloqué, trouver les moyens d'amener le groupe à la prise de conscience des processus relationnels.

4. UN PROBLÈME D'ATTITUDE

Fort de la connaissance de ces méthodes, chacun choisira son propre style de conduite de réunion[1].

Une des distinctions entres les styles d'animation se situe au niveau de l'attitude face aux trois fonctions de production, de

1. L'auteur, pour sa part, pense que la non-implication de l'animateur et une large autonomie du groupe sont préférables. Son choix personnel se porte donc pour les discussions centrées sur un problème devant aboutir à une solution, sur les styles coopératif sur la procédure ou à défaut directif de la procédure.

facilitation, d'élucidation, ce qui renvoie à des attitudes plus générales face à la situation de groupe et face à autrui.

Les attitudes, du point de vue des relations interpersonnelles, sont « les prédispositions permanentes à agir d'une certaine manière vis-à-vis d'autrui, à l'intérieur d'un groupe restreint[1] ».

Les attitudes ne sont pas innées, mais acquises, plus ou moins durables et susceptibles de changement sous l'effet d'influences extérieures. Les attitudes nécessaires à un conducteur de réunion sont rarement naturelles, mais on peut les acquérir.

Les attitudes dans sa relation à autrui dans un groupe de travail peuvent être la suggestion, l'enquête, l'évaluation, le soutien, l'interprétation et la compréhension.

● La suggestion consiste à indiquer à autrui ou au groupe ce qu'il devrait faire. Elle renforce la dépendance du groupe à l'égard de l'animateur ; elle risque de prendre valeur de contrainte si le conducteur de la réunion est en même temps le chef institutionnel du groupe.

● L'enquête consiste à demander un complément sur les informations, les opinions, les évaluations, les suggestions, du groupe ou des participants. L'enquête se traduit dans la conduite de réunion par de « vraies » questions plus ou moins adaptées à la discussion, plus ou moins plaquées.

● L'évaluation consiste à porter un jugement de valeur en fonction de son propre cadre de référence. D'une manière plus ou moins délicate, plus ou moins carrée, on juge ce que dit ou ce que fait le groupe. Cette attitude renforce la dépendance à l'animateur et la peur du jugement d'autrui. Elle aboutit à faire naître chez les membres du groupe des attitudes de retrait ou de rébellion. Elle est un obstacle à la créativité du groupe.

● Le soutien consiste à rassurer autrui en lui indiquant que le problème qui le préoccupe n'est pas grave et en lui disant ce qu'il faut ressentir face au problème évoqué. Ce soutien risque d'augmenter la dépendance affective à l'égard de l'animateur car le groupe attendra d'être rassuré à chaque moment difficile.

● L'interprétation consiste à traduire les idées exprimées par autrui en dévoilant ce qui était sous-jacent, caché, comme les

1. D. Anzieu et J.-Y. Martin, *La dynamique des groupes restreints*, p. 198.

causes profondes, les motivations inavouées, les raisons inaperçues. Dans la conduite des réunions l'inteprétation cherche à clarifier ce qui n'est pas perçu.

● Toutes ces attitudes sont l'expression d'une attitude implicite commune. Tout se passe comme si l'on ne faisait confiance ni aux personnes, ni au groupe, comme si l'on pensait que l'on pouvait mieux que les autres résoudre les problèmes, niant par là leur autonomie.

Ainsi l'enquête consiste implicitement à faire comprendre que les points traités ne sont pas les points les plus importants et à indiquer quels points il faudrait examiner pour résoudre le problème.

Ainsi la suggestion consiste implicitement à penser que les solutions trouvées ne sont pas les meilleures et à dire quelles solutions il faudrait adopter.

Ainsi l'évaluation consiste implicitement à indiquer comment le groupe devrait penser ou agir.

Ainsi le soutien consiste implicitement à dire que le sentiment éprouvé n'est pas justifié, que le problème n'est pas aussi sérieux qu'on le pense et à indiquer comment on devrait ressentir la situation.

La compréhension, au contraire, est l'expression du respect total de l'autre et du groupe.

La compréhension consiste à réexprimer la totalité de ce qui se passe chez autrui en respectant la manière dont il sent ce qu'il vit. Dans la conduite de réunion, elle permet de formuler les synthèses partielles, de suivre le groupe pas à pas en sentant ce qu'il ressent, de relancer la discussion par la reformulation, de tenir compte des particularités de chacun. C'est dire que la compréhension est l'attitude qui permet d'assumer la fonction de facilitation.

Cette attitude, opposée en cela à toutes les autres, n'ajoute rien au contenu de la conscience d'autrui. Elle correspond à l'empathie de l'attitude non-directive : « la capacité de s'immerger dans le monde subjectif d'autrui et de participer à son expérience dans toute la mesure où la communication verbale et non verbale le permet » (K. Rogers).

Ainsi retrouvons-nous le style non-directif et s'il est — à notre sens — à proscrire dans la conduite des réunions à thème, on ne peut paradoxalement conduire correctement une réunion qu'avec une attitude de compréhension empathique caractéristique du style non-directif.

La compréhension empathique n'est pas naturelle. L'expérience montre que les attitudes habituelles sont en premier lieu l'enquête et l'évaluation, la suggestion et le soutien, puis l'interprétation.

On accède à la compréhension par la conscience permanente de ses réactions personnelles, ce qui réduit les difficultés de la communication et protège contre les risques de la manipulation.

Être conducteur de réunion, cela signifie d'abord être présent aux autres et au groupe, savoir écouter, être disponible, accepter d'être ce que l'on est et de travailler avec ce que l'on est, accepter de changer de statut et de rôle, respecter les groupes et les individus.

Alors on accède à la compréhension qui permet d'assumer la facilitation, fonction principale du conducteur de réunion.

4 Organisation pratique d'une réunion

Quels que soient la pratique et le savoir-faire d'un animateur, la réunion se déroule dans de meilleures conditions s'il a pris soin de la préparer et de veiller à son organisation matérielle.

1. PRÉPARATION PERSONNELLE DU CONDUCTEUR DE RÉUNION

● *Étude du sujet et élaboration du plan*

Un conducteur de réunion doit-il être compétent sur le fond ? Cette question est très controversée. Car quelqu'un de compétent sur le problème mais incompétent dans l'animation des groupes ne pourra conduire une réunion, tandis qu'un conducteur de réunion qui sait animer un groupe pourra conduire la réunion même s'il ne connaît pas le problème traité. Il lui suffira de pouvoir comprendre sans effort particulier ce qui se dit dans le groupe. Toutefois, dans certaines réunions, qui se rapprochent des réunions d'information ou qui sont menées de façon directive, voire coopérative, l'animateur doit connaître le problème.

Si l'animateur a étudié le sujet, il peut prendre ses distances par rapport au contenu de la discussion, être plus attentif au groupe et à sa progression, donc mieux remplir la fonction de facilitation. Mais il risque très fortement de manipuler le groupe pour lui imposer ses vues : le persuader d'adopter son plan de travail, le convaincre de ses opinions, l'amener aux solutions qu'il avait préconisées.

S'il n'étudie pas le sujet, il risque de dépenser trop d'énergie pour sa propre compréhension, d'être moins attentif au groupe et ne pas faciliter son travail, mais il se garde beaucoup plus aisément du danger constant de manipulation.

L'étude du sujet commence par la détermination du but à atteindre à l'issue de la discussion : c'est l'objectif de la réunion, qu'il ne faut pas confondre avec le thème ou le sujet de la discussion.

(Ex. = Sujet : les accidents du travail — Objectif : trouver un moyen de les réduire.

Sujet : les consignes de sécurité — Objectif : les faire accepter et respecter.

Sujet : les loisirs des jeunes de 15 à 20 ans — Objectif : organiser une ou plusieurs activités de loisir permettant de répondre à certains des besoins des jeunes.)

L'animateur passe ensuite à l'étude du sujet lui-même, ce qui lui permettra d'élaborer un plan prévisionnel au niveau du déroulement logique des idées et de prévoir la liste des points et des questions à aborder obligatoirement. C'est avec ce matériel qu'il pourra rédiger l'introduction et penser à la question d'amorçage.

Tout ce travail préparatoire est destiné à rendre la fonction de facilitation plus efficace : c'est notamment lorsque l'objectif, le plan, les méthodes de travail, le rôle du conducteur de réunion sont clairement définis, le sujet bien exposé, la question d'amorçage pertinente, que le groupe se met le plus rapidement au travail.

Le plan de la discussion, selon la méthode d'animation choisie, peut être proposé par l'animateur ou choisi en collaboration avec le groupe.

On gagne du temps au début de la discussion si l'animateur propose un plan, qui risque néanmoins d'être remis en cause, soit au début de la discussion, soit au cours des débats. Lorsque le groupe bâtit lui-même son plan, en collaboration avec l'animateur, le démarrage de la discussion est plus lent, mais le groupe s'en tient plus facilement au plan qu'il a lui-même choisi.

Lorsque le plan est imposé, le groupe ne le conteste pas

rationnellement au début de la discussion mais y oppose une résistance passive au cours des débats. La discussion risque de ne pas déboucher.

Il n'y a jamais un seul mais plusieurs plans possibles pour aborder une question ; on ne peut jamais prétendre avoir le meilleur. L'animateur qui a patiemment élaboré un plan risque de vouloir l'imposer au groupe alors qu'il convient à sa structure mentale personnelle et non à celle du groupe. Si le groupe conteste le plan, le conducteur de la réunion peut se sentir attaqué lui-même et s'enfermer dans la rigidité. Il doit accepter que le groupe puisse remettre en cause son plan pour en choisir un qui lui convienne mieux car la seule utilité du plan est d'aider à cerner le problème pour atteindre l'objectif de la réunion.

Une des démarches possibles pour élaborer un plan est la suivante :
- S'imprégner de l'objectif
- Rassembler les informations disponibles
- Rassembler ses idées personnelles
- Classer par genre les informations et les idées
- Les organiser dans un ordre logique pour esquisser le plan
- Structurer le plan — en détaillant les idées secondaires autour des idées principales
- Contrôler l'ensemble en fonction de l'objectif : le plan s'organise autour de l'objectif ; avec les mêmes informations, les mêmes idées et un objectif différent on parviendra à deux plans différents.

On peut citer quelques types de plans.

- *Plan méthodologique :*

Quoi ?	- Quels sont les problèmes posés ?
Qui ?	- Quelles sont les personnes concernées ?
Où ?	- Dans quel secteur ?
Quand ?	- A quel moment traiter le problème ?
Comment ?	- De quelle façon s'y prendre ?
Voir	- Quels sont les problèmes posés ?
Juger	- Qu'en penser ?
Agir	- Que faire ?
Effets	- Problèmes constatés.

50

Causes   - D'où viennent-ils ?

Propositions   - Que proposer ?

Avantages

Inconvénients

• *Plan chronologique :*
Passé — Description et réflexion sur la situation passée.
Présent — Description et réflexion sur la situation présente.
Avenir — Vers quoi va-t-on, vers quoi faut-il aller ?

• *Plan descriptif :*
Énumération des données du problème.

• *Plan logique :*
C'est celui qui serre de plus près l'objectif, qui centre la discussion au cœur du problème.
   On ne peut donner d'exemple car il dépend absolument de chaque cas particulier.

● *Choix de la composition du groupe — Réflexion sur le groupe*
Ce choix n'est pas toujours dans les prérogatives de l'animateur. Mais si la composition du groupe dépend de lui, il pourra choisir les participants en fonction des critères suivants : compétence sur le sujet et intérêt pour lui, expériences, aptitude au travail en groupe.
   Une fois la composition du groupe connue (imposée ou choisie), l'animateur aura intérêt à réfléchir à la structure possible du groupe en fonction des personnes, analyser la structure institutionnelle dans laquelle il se trouve et son influence possible sur les membres du groupe et le groupe lui-même. Il peut se préparer à adapter son langage aux participants et bâtir une stratégie d'aide et de facilitation.

● *Choix de la méthode d'animation*
Le choix de la méthode d'animation dépend à la fois de la composition du groupe, de l'objectif de la réunion, du thème traité et de la personnalité de l'animateur.
   Un animateur découvre son style par l'expérience : il se sent à l'aise avec telle méthode, gêné avec telle autre. Beaucoup d'animateurs essayent d'être non-directifs ou coopératifs alors que

cela est contraire à leur tempérament (ou qu'ils n'ont pas encore acquis les aptitudes profondes nécessaires à ce type d'animation). Il vaut mieux alors choisir d'être directif ou directif sur la procédure. Cela sera plus clair pour le groupe et l'animateur se gardera plus facilement de la manipulation. Mieux vaut une « bonne » animation directive sur la procédure qu'une « mauvaise » animation non-directive.

Ces différentes opérations — étude du sujet et élaboration du plan, choix de la composition du groupe et de la méthode d'animation — sont interdépendantes. Il n'y a pas d'ordre, on peut commencer par l'une ou l'autre et réviser la première en fonction des autres.

2. PRÉPARATION DES PARTICIPANTS

L'organisation d'une réunion commence par la préparation des participants qui débute lorsqu'ils reçoivent la convocation et l'ordre du jour.

- *La convocation et l'ordre du jour*

La convocation est de première importance car elle devrait permettre à chacun de réfléchir sur le thème en fonction de l'objectif concret à atteindre. La réunion pourrait devenir la mise en commun plus riche et plus rapide de la préparation de chacun.

La convocation devrait être envoyée environ 8 jours à l'avance pour que les participants à la réunion aient assez de temps pour la préparer et suffisamment peu pour ne pas l'oublier.

Une convocation devrait comporter :
- Les date, lieu, heure, durée probable de la réunion ;
- L'ordre du jour, précis, détaillé et éventuellement les points fondamentaux sur lesquels seront prises les décisions.

Pour habituer les participants à prévoir leurs réunions, chaque organisation peut fixer, en début d'année, les jours, lieux et heures de ses réunions. Les personnes aux activités multiples pourront ainsi prévoir la répartition de leur emploi du temps et la convocation ne devient plus qu'un rappel.

- *Les documents*

On peut envoyer des documents avec la convocation pour permettre aux participants de préparer la réunion. Mais ils doivent être courts car les documents volumineux ne sont pas lus.

- *Préparation personnelle des participants*

En recevant une convocation, on peut soit noter simplement la date de la réunion, soit la préparer, en examinant les documents, en recherchant soi-même des informations, en réfléchissant au problème et en préparant ses interventions.

3. PRÉPARATION MATÉRIELLE DE LA RÉUNION

Actuellement, les gens sont souvent habitués à se réunir dans des locaux agréables. Si donc on ne veille pas à l'organisation matérielle, cela risque d'indisposer les participants et de réduire l'efficacité de la réunion.

- *Autour de la salle de réunion*

On veillera à quelques détails :
- Emplacement et dimension des vestiaires ;
- Emplacement des téléphones ; possibilité de transmettre des messages ;
- Emplacement (et entretien) des toilettes ;
- Endroit où entreposer du matériel.

- *La salle de réunion*

On choisira une salle avec un bon éclairage, une température agréable, un degré hygrométrique correct, une isolation et une aération suffisantes.

On choisira la salle en fonction du nombre de participants et de l'objectif. Elle doit être assez vaste pour que chacun se sente à l'aise dans ses mouvements et puisse éventuellement prendre des notes, mais pas trop car sinon le groupe est perdu, chacun éprouve une gêne, la discussion commence difficilement et se déroule avec lenteur.

On veillera à ce qu'il y ait assez de tables et de chaises pour que chacun ait sa place et qu'il puisse installer tout ce dont il a besoin.

Les dispositions habituelles des tables et des chaises sont les suivantes :

On peut choisir cette disposition lorsqu'on veut transmettre une information à un auditoire qui ne fait qu'enregistrer les messages, car avec cette disposition le « feed-back » est difficile, voire impossible.

On peut choisir cette disposition dans des discussions « à stratégie ». Mais elle incite plus à l'affrontement qu'à la communication.

On peut choisir cette disposition pour une information avec feed-back ou pour des discussions centrées sur le problème. Elle facilite le feed-back, incite à communiquer avec l'animateur mais favorise peu le dialogue entre les membres du groupe.

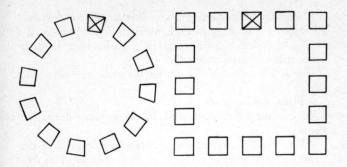

On peut choisir cette disposition à chaque fois que l'on veut inciter au dialogue, c'est-à-dire dans toutes les discussions centrées sur le problème, centrées sur le groupe et même dans des réunions d'information avec feed-back.

Dans cette disposition, l'animateur apparaît moins pesant que dans la disposition en U.

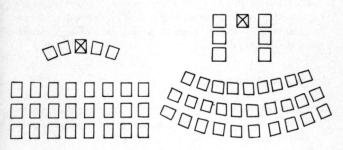

Ces dispositions sont celles d'un panel.

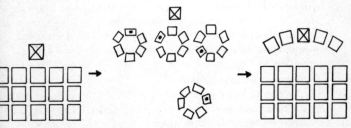

Ici un Phillips 66 — suivi d'un panel.

L'animateur doit adapter la disposition des sièges et des tables à l'objectif de la réunion et à la méthode d'animation qu'il a choisie, car la disposition physique influence beaucoup les structures de la communication.

Une fois la salle installée, il faut songer encore à quelques détails :

- Placer des cendriers ;
- Placer du papier, des crayons devant les places des participants ;
- Préparer des cartons pour marquer les noms des participants (on peut placer soi-même les cartons en fonction de la stratégie d'animation que l'on a choisie) ;
- Mettre en réserve quelques documents (les mêmes que ceux qui ont été envoyés lors de la convocation) pour les donner aux participants qui les auraient oubliés ;
- Disposer tout le matériel dont on aura besoin : tableaux, craies, crayons ou feutres, maquettes, graphiques, papier. On vérifiera que le matériel audio-visuel est en bon état et on le disposera pour qu'il soit prêt à fonctionner (centrer l'image sur l'écran, préparer les films ou diapos dans l'ordre voulu, vérifier les micros, prévoir une lampe de poche, des rallonges électriques, des lampes de secours).

• *Les accessoires*

Les réunions sans support visuel ou audio-visuel sont en général difficiles à suivre. Il existe un certain nombre de moyens pour fournir ce support.

• Les tableaux

Généralement de bois ou de papier. Les tableaux de papier sont composés d'un support sur lequel on accroche une liasse de papier. On a ainsi un bloc de papier géant.

Avec les tableaux de papier, on peut garder les informations, puisqu'on n'efface pas (il suffit de tourner les pages) et s'y référer lorsqu'on en a besoin.

• Les moyens audio-visuels

- Le magnétophone
- L'électrophone
- Le projecteur de diapositives
- Le projecteur de cinéma

- L'opascope. Il permet de projeter sur un écran ou sur un mur tous documents, pages de livres, schémas, petits objets. C'est un jeu de miroirs qui réfléchit le document grâce à une ampoule à très forte luminosité. Pour obtenir la projection, il faut obscurcir la salle.

- Le diascope. Il projette des documents translucides qui ont été préparés à l'avance où ce que l'on écrit (ou dessine) sur un rouleau translucide défile sur la plaque du diascope. Son utilisation est très simple.

- Le magnétoscope. Il permet d'enregistrer sur des bandes magnétiques des images et des sons qu'il reproduit sur un écran de télévision. Cet appareil complexe, fragile et coûteux permet de nombreux montages immédiats grâce au mixage[1].

4. UTILISATION DES MOYENS
PENDANT LA RÉUNION

● *Utilisation du tableau*

Les tableaux sont importants car ils fixent l'attention, frappent l'imagination, stimulent la réflexion, facilitent la compréhension, favorisent l'analyse, évitent la dispersion, centrent sur le sujet, rassemblent les participants en leur servant de mémoire collective et en les rendant plus disponibles à la vie du groupe. Ils accélèrent l'information des éventuels retardataires, permettent à chacun de se situer dans la progression de la discussion, évitent les retours en arrière, les pertes de temps, les confusions. Par ailleurs, ils font réagir aux désaccords et renforcent l'accord, facilitent la prise de notes (pour les participants), l'énoncé des synthèses partielles, des conclusions, aident à la rédaction du compte rendu et contribuent à ce que l'animateur reste dans son rôle de facilitation.

---

[1]. Mixage : regroupement sur une même bande de tous les enregistrements primitivement faits sur des bandes séparées.

On doit écrire au tableau très lisiblement, noter ce qui est d'égale importance de la même façon[1], écrire de profil de manière à percevoir les réactions du groupe, transcrire fidèlement ce qui est dit par le groupe et ce qui a reçu l'accord du groupe, bien savoir ce que l'on veut écrire pour ne pas hésiter, vérifier que la formulation est comprise et acceptée par le groupe, éviter de parler pendant qu'on écrit. On peut lire à haute voix ce que l'on écrit ou exprimer la même idée mais ne pas ajouter une idée différente, car l'attention des participants sera fixée sur le message écrit et le message oral ne sera pas perçu. S'il faut effacer, le faire avec soin, sinon tout devient très vite illisible.

Bien qu'il y ait des différences pour chaque réunion, il convient généralement de ne pas trop écrire au tableau, de choisir correctement ce que l'on va écrire et de noter plutôt les points suivants (sachant que tous ces points ne sont pas nécessaires dans toutes les réunions) :

- Le problème
- L'objectif
- Le plan
- Les points stimulant la réflexion, permettant à la pensée de se cristalliser et aidant à se centrer sur le problème et à l'analyser
- Les informations principales auxquelles on se référera
- Éventuellement les graphiques et schémas (dessinés ou préparés à l'avance)
- Les idées forces
- Les synthèses partielles
- Les conclusions
- Les décisions
- Les actions prévues, le nom des personnes responsables
- Les moyens prévus, les délais impartis.

L'utilisation du tableau dépend avant tout de sa propre personnalité. On peut éventuellement déléguer ce rôle de secrétaire à un des participants en veillant à ce qu'il se fasse bien le reflet du groupe.

Pendant que l'animateur ou le secrétaire écrivent au tableau, les participants éprouvent souvent le besoin de prendre des

---

1. S'il n'y prend garde, l'animateur peut écrire en gros (ou lisiblement) ce avec quoi il est d'accord et en petit (ou illisiblement) ce avec quoi il est en désaccord.

notes. La prise de notes individuelle suit les mêmes règles que la prise de notes au tableau mais on y adjoint souvent (en marge) des réflexions, on y prépare ses interventions. L'animateur écrit ainsi, sur ses notes personnelles, des remarques sur le déroulement de la discussion qui l'aideront à faire une intervention facilitatrice ou régulatrice[1].

● *Utilisation des moyens audio-visuels*

Actuellement l'audio-visuel est partout. Ce sont des moyens mis au service des fins, souvent la manipulation ou le conditionnement qu'ils servent particulièrement bien : l'image agit au niveau affectif et l'on peut difficilement s'en défendre. Il faut donc être très vigilant à son propos.

On est tenté de croire qu'il suffit de posséder des moyens audio-visuels pour pouvoir tout faire : on croit à la magie de l'instrument. Mais il ne sert à rien de tout filmer, enregistrer, projeter. Tout message doit être construit (de même que l'on construit ses phrases et son discours) et l'on doit sélectionner les images pour qu'elles prennent un sens. On ne peut d'autre part utiliser l'audio-visuel pour toutes les phases d'une réunion : il peut servir à alléger un exposé, présenter une situation, mais surtout susciter la créativité et être le point de départ de l'échange (s'il ne devient pas une barrière par un usage trop intensif).

Mais il est faux de dire que lorsqu'une discussion s'appuie sur un message audio-visuel, tout le monde part des mêmes données ; en effet, chacun comprend d'une façon très différente une série d'images : dans le langage écrit ou oral, il y a des règles strictes d'enchaînement logique de la pensée, tandis qu'on aborde l'image d'une manière plus personnelle et subjective : il n'y a pas de règles. Il faut donc se garder de conclure à l'évidence de l'image.

Si les images suscitent des interprétations si différentes, c'est qu'elles sont en général polysémiques, c'est-à-dire qu'elles ont

1. Le compte rendu n'est pas toujours nécessaire. Mais il évite la dispersion et lorsqu'il y a eu décision remémore à chacun ce qu'il doit faire. Le compte rendu est un document synthétique qui retrace seulement les grandes lignes de la discussion et rappelle les décisions ou les conclusions.

Le procès-verbal est établi pour les Assemblées générales, les Conseils d'administration, les réunions du bureau, c'est-à-dire pour les réunions fonctionnelles. C'est un document officiel, moins synthétique que le compte rendu. Il doit comporter toutes les interventions marquantes avec le nom de l'orateur, tous les votes avec le décompte des voix, toutes les décisions. Il doit être accepté par un vote lors de la réunion suivante.

plusieurs sens car elles renferment plusieurs signes, c'est qu'elles réactivent par leur qualité sensuelle les phénomènes de projection (attribuer à autrui ce que l'on éprouve soi-même) et d'introjection (intériorisation des exigences, désirs et valeurs d'un autre ou d'un groupe social), c'est qu'elles suscitent des modes de lecture à la fois divers et rigides.

Parmi les moyens audio-visuels utilisables lors d'une réunion, on peut distinguer :

- Ceux qui remplacent le tableau :
  - Opascope
  - Diascope
  - Projecteur de diapositives pour projection de schémas, graphiques.

Leur utilisation suit les mêmes règles que celles du tableau.

- Ceux qui apportent une information construite à l'avance :
  - Électrophone
  - Magnétophone
  - Projecteur de diapositives
  - Projecteur de cinéma
  - Magnétoscope.

Pour la construction (ou le choix) du message, on a toujours intérêt à aller dans le sens de la simplicité, de la concision, de la clarté. Plus le montage sera serré, c'est-à-dire rigoureux, meilleur il sera. Mieux vaut 5 images bien choisies que 50 qui par l'accumulation perdent leur signification, mieux vaut un film rigoureux de 5 minutes qu'un film de 15 minutes qui traîne en longueur. Mieux vaut un petit montage de diapositives bien fait qu'un film mal fait. Le danger est ici de se laisser aller au plaisir de la gadgétisation, de la technique pour la technique. Il faut aussi construire le texte qui accompagne l'image, jouant auprès d'elle une des fonctions suivantes :

- *Ancrage :* le texte aide l'auditeur à comprendre le sens donné à l'image par l'auteur.
- *Relais :* le texte apporte une information complémentaire ou permet de relier entre elles deux images.
- *Amplification :* le texte amplifie le sens de l'image.
- *Réduction :* le texte réduit le sens par rapport à l'accumulation de sens dans l'image.
- *Redondance absolue.*

• Ceux qui permettent un feed-back immédiat de ce qui se passe au moment de la réunion :
- Magnétophone
- Magnétoscope.

L'enregistrement pose les mêmes problèmes qu'un montage : quoi enregistrer pour que cela soit significatif ? Des enregistrements trop longs pris sur le vif suscitent généralement l'ennui quand on les passe.

En règle générale, un animateur qui veut utiliser des moyens audio-visuels :
- Les choisira en fonction de son objectif.
- Choisira les plus simples techniquement : il sera plus facilement maître de la technique et en outre pourra réparer lui-même, assez rapidement, les appareils, ce qui ne perturbera pas trop son travail.
- Vérifiera constamment le bon fonctionnement des appareils.
- Construira les messages les plus simples possible (ce qui est recherché, c'est l'impact et non la virtuosité).
- Les utilisera comme facilitateurs ou comme stimulants à la discussion.

5 | 100 questions pour mieux analyser sa propre pratique

On devient conducteur de réunion[1] en participant à des réunions, en les conduisant et en s'interrogeant sur sa propre pratique qui ne devient formatrice qu'à la condition d'être suivie de réflexion.

On ne trouvera dans ce chapitre que des éléments indicatifs : les questions que l'auteur se pose généralement pendant les discussions. Mais lorsqu'on commence à conduire des réunions, dans « le feu de l'action » on n'a pas le temps de s'interroger, c'est pourquoi on réfléchit après le débat. Peu à peu on acquiert le recul suffisant pour se poser des questions pendant la discussion elle-même et maîtriser ainsi le sens de ses interventions.

La réflexion individuelle a toutefois des limites. La mémoire en effet est sélective : on « oublie » ce qui gêne, en particulier les difficultés ou les erreurs. Même si l'on se rappelle les interventions inadaptées, on est tenté de rationaliser, de se « trouver une bonne raison » et d'en faire porter la responsabilité à des éléments extérieurs.

Si l'on désire donc que la méthode soit plus efficace, on peut confronter ses impressions à celles d'un observateur ou mieux encore réfléchir avec le groupe sur la conduite de la réunion[2].

La réflexion doit permettre d'observer les effets et d'en analyser les causes. Il s'agit de porter un diagnostic sur l'état du

---

1. L'abréviation CR sera employée dans ce chapitre.
2. C'est la méthode généralement utilisée dans les stages de formation à la conduite de réunion.

groupe — ce qui permet d'y devenir de plus en plus sensible et d'y réagir de façon plus adaptée — et sur la démarche du CR — ce qui permet de prendre conscience de ses intentions réelles, de ses erreurs, de son style. On adopte le point de vue de « l'autre généralisé » en examinant l'effet produit par son action, quelle qu'en soit l'intention.

Si l'on veut progresser plus aisément, lorsqu'on aura perçu une difficulté, on concentrera ses efforts sur elle car il est inutile de vouloir toutes les surmonter à la fois[1].

Ce chapitre est destiné à être utilisé comme un instrument de travail. Il est donc inutile de tout lire à la fois. On pourra au contraire s'inspirer des questions sur un thème particulier pour approfondir sa réflexion personnelle[2].

1. FIXATION ET PLANIFICATION DU PROBLÈME

● *L'objectif*

L'objectif a-t-il été compris de la même façon par l'ensemble des participants ?
Sinon, pourquoi ?
Indiqué sur la convocation ? Comment (succinctement, vaguement ?)
Convocation rédigée de façon à contraindre à lire l'objectif ?
Remarques des participants à ce propos ?
Enseignements à en tirer ?
Expliqué par le CR au début de la réunion ? Comment ? Rapidement ? (Tout le monde a-t-il entendu ? Une répétition aurait-elle été nécessaire ?) Vaguement ? (Le CR en avait-il lui-même une vision claire ? Y avait-il réellement un objectif ? La réunion était-elle vraiment nécessaire ?)

---

1. Ce qui semble le plus facile est de centrer ses efforts d'abord sur la procédure, puis sur la clarification des apports, puis sur la facilitation des échanges. Dans la plupart des cas, on pourra s'en tenir là : l'élucidation des processus relationnels demande une grande sensibilité aux processus de groupe et une référence théorique.
2. Les questions que l'on se pose — non exhaustives et données, répétons-le, à titre indicatif — ne peuvent être classées de façon parfaitement rigoureuse, tant il est vrai que tous les phénomènes de groupe sont interdépendants.

Remarques des participants à propos de l'exposition orale de l'objectif ?

Que faire pour le présenter avec plus de clarté ?

Une discussion sur l'objectif aurait-elle été nécessaire ?

Des divergences d'objectifs sont-elles apparues entre les participants ?

Si oui, pourquoi ?

Intérêts différents et donc objectifs différents ?

La différence d'objectifs pouvait-elle être source de progression ?

Comment exploiter cette différence ?

Comment l'atténuer ?

Comment concilier les différents objectifs ?

Comment favoriser une démarche dialectique ?

● *Le thème ou le problème*

Adapté à l'objectif ? Comment adapter objectif et thème ?

Le thème ou le problème ont-ils été compris de la même façon par l'ensemble des participants ?

Sinon, pourquoi ?

- Indiqué sur la convocation ? Comment ? Documents adéquats envoyés ?

- Exposé en début de réunion ?

Trop concis, trop vague ?

Différents éléments indiqués ?

Éléments d'informations préexistants mentionnés ?

Présentés avec une problématique ?

Bien délimité ?

Pouvait-on le traiter dans le temps imparti ?

Expression orale convenable ? (Ton, articulation, force, posture[1].)

Climat pendant l'exposition ?

Brouhaha ? Inattention ?

Tout le monde a-t-il écouté ? Apartés ?

Aurait-il été nécessaire de répéter le thème ?

Données du problème dégagées et limitées par les participants ?

Aide du CR ?

---

1. Cf. Hélène Sorez, *Prendre la parole*, Hatier, Profil Formation.

Quand les divergences sur la compréhension du thème sont-elles apparues ?
Immédiatement ? Au cours de la discussion ? A la fin ? Pourquoi ?
Quelles précautions prendre pour s'assurer que tout le monde comprend ? (La question : est-ce que tout le monde a compris constitue-t-elle une mesure suffisante ?) En quoi les divergences de compréhension ont-elles gêné le déroulement de la discussion ?

● *Le plan*

Le plan a-t-il été :
Imposé par le CR ?
Proposé par le CR et immédiatement accepté ?
Proposé par le CR et modifié ?
Décidé en collaboration entre le CR et le groupe ?
- Si le plan a été proposé et accepté, est-ce une réelle acceptation ?
Plans remis en question plus tard ?
Acceptation suivie d'une passivité du groupe ?
Opposition sourde, refus de discuter ?
Attitude réelle du CR : proposer ou imposer en douceur ?
- Si le plan a été modifié, quelle a été l'attitude du CR ?
Rigidité ?
Sentiment d'être atteint dans sa compétence et sa personne ?
Recours à l'autorité statutaire ?
Souplesse ?
Fermeté ?
Laisser faire ?
Facilitation, aide au groupe, collaboration ?
A quelles interventions son attitude l'a-t-il conduit ?
- Quelles ont été les réactions du groupe à l'annonce du plan ou à sa négociation ?
Réactions rationnelles ou réactions affectives à la situation de groupe et au CR ?
Désir d'aller vite ?
Manque d'intérêt pour cette partie du travail ?
Comment faciliter ce travail ?
- Le plan a-t-il été respecté jusqu'à la fin de la discussion ?
Sinon, pourquoi ?

Découverte d'un meilleur plan ?

Digression par rapport au thème ? Était-ce un obstacle ? une nécessité ? Limites supportables des digressions ?

Que faire face aux digressions ? Limites entre l'autoritarisme, la fermeté, la souplesse, le laisser faire ?

Émergence de problèmes affectifs dans le groupe, de conflits et de tensions (entre les membres, entre le groupe et le CR).

Non-résolution des tensions ?

Réaction du CR ?

Qu'aurait-il pu faire ?

- Le plan a-t-il été présenté d'une façon claire ?

De façon précise ? Détaillée ? Avec trop de commentaires ?

Expression orale adéquate ?

Utilisation du tableau ?

Aurait-il fallu le répéter, le rappeler ?

Comment en améliorer la présentation ?

● *La méthode de discussion*

Quelle méthode de discussion le CR avait-il préconisée ?

Selon cette méthode, que devait-il faire ?

Qu'a-t-il fait ? A quelle méthode se rattache ce qu'il a fait ?

A quels niveaux est-il intervenu ? (production, procédure, facilitation, clarification, élucidation.)

La méthode de discussion a-t-elle été définie au début de la réunion ?

La méthode appliquée correspondait-elle à la méthode annoncée ?

Dans quel sens le rôle du CR a-t-il évolué ? Pourquoi ?

Les rôles respectifs du CR et des participants ont-ils été définis ? Comment ? Perçus par tous ?

Qu'aurait-il fallu faire pour améliorer la définition et la perception des rôles ?

La discussion a-t-elle suivi un ordre logique ?

Recueil des informations, confrontation des opinions, exploration des solutions, choix d'une solution ?

Qu'a fait le CR pour favoriser cette démarche ? Qu'aurait-il pu faire ?

Le CR a-t-il beaucoup parlé, monopolisé la parole ?

Pourquoi ?

Raisons internes ? Peur du groupe, peur des silences, peur d'être jugé, peur que la discussion n'avance pas, impression d'être indispensable, manque de confiance dans le groupe ?
Influence de la volubilité du CR sur la discussion ?
Était-ce une vraie discussion ?

Les moyens matériels ont-ils été correctement employés ?
La salle ?
Taille ? Remarques des participants ? Influence sur la discussion ?
Disposition en relation avec le style d'animation ? Influence sur le déroulement de la discussion ?
La disposition favorisait-elle la cohésion ?
Place du CR adéquate ? Tout le groupe dans son champ de vision ? Visible par tout le monde ?
Détails matériels ? (cendriers, papier, crayons, documents, tableaux, matériel audio-visuel.)
Le tableau ?
Utilisation ? Difficultés ?
Influence sur la discussion ?
Les moyens audio-visuels ?
Utilisation ? Influence ?
Facilitation ou barrière à la communication ?
Comment améliorer l'utilisation de l'audio-visuel ?
A quel moment l'utiliser ? Dans quel but ?

2. STIMULATION DES ÉCHANGES

● *Le CR a-t-il été « présent » à l'ensemble du groupe ?*

Manifestations de sa présence ? (le corps, le regard, la posture, les gestes ?)
Moments d'absence ? Influence sur le groupe, sur la qualité des interventions ?
Présence à l'ensemble du groupe ou à quelques personnes seulement ?

● *Le CR a-t-il posé des questions relatives au problème ?*

Question d'amorçage pertinente ? A-t-elle permis à la discussion de s'engager rapidement ?
Quel genre de question poser ? Comment la poser ?

Style des questions ? posées directement à quelqu'un, en retour (re-expression de questions posées par le groupe), à la cantonade, au groupe, questions de pure forme.
Relances à partir d'apports précédents ?
Interventions et relances bien centrées sur la discussion ?
Comprises par tous ? Soulevant l'étonnement ?
Le CR suivait-il le groupe pas à pas ou plutôt le cheminement interne de sa pensée ? Effet ?
Le CR supportait-il la contradiction ? Se sentait-il mis en cause personnellement ?

● *Le CR a-t-il contribué à réunir les conditions d'un dialogue créateur ?*

Comment ?
Qu'aurait-il pu faire ?
Comment améliorer le niveau d'acceptation mutuelle, d'écoute compréhensive, de recherche d'accord ?
Comment inciter à un effort dans l'exposition des faits et des idées ?
Comment faire accepter la co-responsabilité, créer une effervescence intérieure ?
Comment faciliter la participation de chacun ?

3. CLARIFICATION ET COORDINATION DES APPORTS

● *Des résumés partiels ont-ils été faits ?*

Quand ? Fréquence ? Comment ?
Résumés statiques (terminant la discussion sur un aspect du problème) ou dynamiques (incitant à approfondir la réflexion) ?
Résumé de l'ensemble des interventions ?
Résumé sélectif ?
Résumé des dernières interventions entendues ?
Résumé des interventions de quelques personnes, toujours les mêmes ?
Interventions de certains jamais reprises dans les résumés ?

● *Le CR a-t-il permis de relier entre eux les différents apports ?*

De confronter les différentes idées ?
De trouver de nouvelles relations qui n'avaient pas été perçues ?
De se rendre compte que plusieurs défendaient le même point de vue ?
De s'apercevoir qu'on ne parlait pas exactement du même sujet ?

● *Les points d'accord et de désaccord ont-ils été soulignés ?*

Points acquis ?
Discussion revenue en arrière ? Était-ce nécessaire ?
Dans quelle mesure ?

4. ÉLUCIDATION DES PROCESSUS RELATIONNELS ET AFFECTIFS

● *Élucidation pour lui-même des sentiments et réactions du CR* [1]

- Comment expliquer certains comportements inadaptés du CR ?
Anxiété ? Trac ? Peur du groupe ? Manque de confiance en soi ?
Impression d'être jugé par le groupe ou par certains ? Sentiment de trop grande responsabilité ?
Manque de confiance dans le groupe ? Mépris du travail en groupe ? Mauvais souvenirs d'autres réunions ?
Manque de préparation ?
Niveau d'information et de compétence sur le sujet trop faible, nécessitant un gros effort de compréhension ?
Niveau d'information et de compétence trop élevé, incitant à intervenir comme expert ?
Passivité ? Indifférence ? Indisposition momentanée ?
Rigidité personnelle ?
- Réactions vis-à-vis des membres du groupe en tant que personnes ?

---

1. En effet, le CR ne peut élucider ce qui se passe dans le groupe que s'il arrive à analyser d'abord sa relation personnelle au groupe.

Le CR garde-t-il un souvenir précis de chaque personne ?
Sinon, chercher à se souvenir de tous.
Pourquoi certains avaient-ils été oubliés ?
Antipathie ? Non-perception ? Refoulement de la perception ?
Comment dépasser ces phénomènes ?
Sentiments éprouvés par le CR vis-vis des différents participants : sympathie, antipathie, hostilité, agressivité ?
Comment maintenir son attention bien veillante et sa neutralité ? Comment ne pas privilégier ceux qui ont la sympathie et les idées du CR ?
Réactions affectives au contenu des idées émises ?

● *Élucidation des processus relationnels proprement dits*

- Y a-t-il eu des gens qui monopolisaient la parole ? Pourquoi ?
Réelle compétence ?
Expression orale volubile, peu claire, symptôme d'un esprit confus ?
Désir de briller, d'écraser les autres, mépris pour les autres ?
Désir d'assurer le leadership ?
Compensation ? Manque de confiance en soi ? Sentiment d'infériorité ?
Impossibilité de supporter le silence ?
Structure de la communication favorisant l'expression des volubiles ?
Appui latent du CR ? Connivence avec le CR ?
Stratégie construite dans la discussion ?
Que peut faire le CR ? Sur quelles causes peut-il agir ?
Certaines personnes avaient-elles du mal à intervenir ?
Pourquoi ? Timidité ? Anxiété ? Sentiment d'être peu considéré, jugé par autrui ?
Sentiment d'infériorité ? Isolement au sein du groupe ?
Désir de ne pas s'engager ? Indifférence ? Indisposition ? Hâte d'en finir ?
Mécontentement d'être contraint à participer à la réunion ?
Opposition au travail de groupe ? Mauvais souvenirs à propos du travail en groupe ?
Thème inconnu, ou sur lequel on n'a ni compétence, ni information ? Manque d'information préalable à propos du thème de la réunion ?
Mécontentement d'avoir eu la parole coupée et réaction de

démission ou de fermeture ? Attente vaine de se voir donner la parole par le CR ? Attente d'un meilleur moment pour intervenir ?

Présence de quelqu'un qui exprime le même point de vue ? Conflit entre deux personnes qui contraignent à assister à un duel ? Présence d'une personne volubile ? Opposition idéologique aux autres ? Présence d'un supérieur hiérarchique ou d'un personnage à fort statut social ? Que peut faire le CR ? Sur quelles causes peut-il agir ?

- Quel fut le climat de la réunion ? Agressif ? Tendu ? Calme ? Coopératif ? Effervescent ? Passif ? Apathique ? Rythme ? Phases ? Rapport entre le rythme, les phases et les relations affectives dans le groupe ? Qu'a fait le CR ? Respect du rythme, accélération, pause, rire, éclatement du conflit, élucidation des processus relationnels ? Malaises, tensions, conflits ? Quand ? Avantages, inconvénients ? Que faire pour les dynamiser ?

- Quelle était la structure de la communication ? Centralisée ? Autour du CR ? Autour d'un leader ? Répartie ? Avec les sous-groupes ? Influence sur la discussion ? Quels ont été les réseaux de communication ? Comment la structure de communication s'est-elle construite autour des affinités, des compétences, des statuts, des rôles dans le groupe, des rôles sociaux extérieurs, professionnels ou privés ? Les personnes étaient-elles bien choisies ? Groupe équilibré ? Homogène, hétérogène ?

Influence sur la discussion, avantages, inconvénients ? Quels membres ont favorisé l'établissement d'une structure harmonieuse ? Attitudes, interventions ? Qu'a fait le CR pour créer ou modifier la structure de communication ?

La structure a-t-elle été souple ? A-t-elle évolué ? S'est-elle cristallisée ? Pourquoi ? Que faire ? Apartés ? Occupations extérieures à la discussion ? Pourquoi ? Comment empêcher les inattentions ?

Poids du CR dans la structure de la communication ? Pourquoi a-t-il plus d'autorité que les autres ?

Autorité institutionnelle dans le groupe ? Marge de liberté réelle des participants ?

- Qu'a fait le CR pour l'élucidation des processus relationnels ?

Au moment d'une difficulté, niveau de l'intervention ?

Organisationnel, logique, affectif ?

Comment le CR a-t-il essayé d'analyser les processus de groupe, les rôles, les sentiments ? Interprétation ?

Explication ? Expression d'un sentiment personnel ?

Comment le CR a-t-il essayé d'aider le groupe à analyser lui-même le processus ? Questions ? Reflet ? Relances ?

Incitation à l'interprétation ?

Résultats des interventions du CR ? Le groupe s'est-il mis à analyser ses relations internes ? Résultat ?

Discussion reprise ? Sinon, pourquoi ?

Interprétation juste ? Acceptée ou refusée par le groupe ?

Interprétation englobant tout le groupe ou seulement une partie ? Réaction de ceux qui ont été oubliés.

5. PRODUCTION

Contribution du CR à la production ?

Informations, définitions, commentaires ?

Suggestions, directions, solutions ?

Opinions, évaluations, critiques ? Envers qui ? Résultat ?

Poids de la contribution du CR à la production ? Pourquoi ? La contribution du CR à la production est-elle nécessaire ?

Conclusion

Dans cet ouvrage nous avons voulu présenter les différents axes de la pratique d'un conducteur de réunion.

C'est ainsi que nous avons présenté succinctement, en espérant ne pas tomber dans la simplification extrême, les éléments théoriques auxquels on peut se référer pour comprendre ce qui se passe dans la réunion et adapter sa conduite à la dynamique de la situation.

C'est ainsi que nous avons expliqué la fonction principale du conducteur de réunion, la facilitation, en donnant les moyens à la fois intellectuels et matériels de la remplir.

C'est ainsi que nous avons présenté un guide d'analyse et de réflexion sur sa propre pratique permettant de se rapprocher de l'attitude de compréhension.

Car c'est cette attitude qui permet de réaliser une synthèse entre le diagnostic porté sur le groupe, l'appel à des méthodes d'animation et l'utilisation de moyens techniques, en mobilisant toutes ses qualités intellectuelles et affectives pour aider le groupe à atteindre ses objectifs.

Le problème pratique actuel, face au développement du travail en réunion, n'est peut-être pas de savoir s'il faut qu'il y ait des réunions ou non, mais plutôt de nous adapter aux groupes et d'améliorer le fonctionnement des groupes avec lesquels nous avons de plus en plus à travailler. Pour cela, il faut apprendre à participer aux réunions et apprendre à les conduire, deux démarches complémentaires.

Ce livre y contribuerait s'il incitait à faire d'autres lectures sur les phénomènes de groupes, à confronter les idées et les expériences avec d'autres personnes ayant les mêmes occupations, à dégager une pensée personnelle par l'approfondissement de sa propre réflexion.

Bibliographie sommaire

Ouvrages théoriques présentant l'ensemble de la psychosociologie des phénomènes de groupes

ANZIEU DIDIER, MARTIN J.-Y., *La dynamique des groupes restreints*, PUF, 1968.
Cet ouvrage à la fois complet, clair et relativement simple, définit le concept de groupe, et en présente un historique. Il explique les méthodes d'étude des groupes et décrit d'une façon un peu plus complexe les principaux phénomènes de groupe et les domaines d'application de ces découvertes.

LÉVY ANDRÉ, *Psychologie sociale*, textes fondamentaux anglais et américains, Dunod, 1965.
Cet ouvrage est un recueil des textes fondamentaux pour la psychosociologie des groupes. Ces textes sont souvent d'un abord difficile et pour les comprendre, il faut pouvoir les restituer dans les divers courants de la psychosociologie.

MAISONNEUVE JEAN, *La dynamique des groupes*, PUF, Coll. « Que Sais-je ? », 1968.
Cet ouvrage plus simple et clair aborde les principaux thèmes de recherche en dynamique des groupes : cohésion, résistance au changement, interaction, leadership, affectivité, et passe en revue les applications dans la formation de la dynamique des groupes.

MAISONNEUVE JEAN, *La psychologie sociale*, PUF, Coll. « Que Sais-Je ? », 1971.
Cet ouvrage décrit avec concision et clarté quelques-uns des phénomènes habituellement étudiés par la psychologie sociale : la communication et ses cadres sociaux, l'interaction et la dynamique des groupes.

MAISONNEUVE JEAN, *Introduction à la psychosociologie,* PUF, Coll. Le psychologue, 1973.

Ce livre de lecture relativement facile est une présentation complète des thèmes de la psychologie sociale plutôt que de la psychosociologie. On y trouve des thèmes précis comme normes, modèles, rôles, statuts, communications, attitudes, opinions, stéréotypes, image de soi et une présentation générale du domaine de la psychosociologie, comme science charnière et science de l'interaction, des problèmes sémantiques et méthodologiques, et quelques thèmes classiques : nature et culture, symbolisme.

Ouvrages théoriques présentant un aspect de la psychosociologie des groupes (d'accès généralement très difficile)

BION WILFRID RUPRECHT, *Recherche sur les petits groupes,* PUF, 1965.

Ouvrage extrêmement difficile traitant du problème de l'affectivité dans les groupes.

FLAMENT CLAUDE, *Réseaux de communication et structure de groupe,* Dunod, 1965.

Flament, cet expérimentaliste, présente les expériences menant à l'étude des réseaux de communication et les structures de groupe. D'accès difficile.

FREUD SIGMUND, *Psychologie collective et analyse du moi,* Payot, 1921.

Ce livre n'est pas spécifique à la psychologie des groupes mais ces analyses psychanalytiques ont pu servir de base pour comprendre l'affectivité des groupes.

FREUD SIGMUND, *Totem et tabou,* Payot, 1923.

Idem.

LAPASSADE GEORGES, *Groupes, organisations, institutions,* Gauthier-Villars, 1967.

Dans le courant de l'analyse institutionnelle, l'auteur reprend ce qui a été dit, dans une démarche très universitaire, dans les divers courants de l'analyse des organisations puis présente l'analyse institutionnelle elle-même.

LEWIN KURT, *Psychologie dynamique*, PUF, 1959.

Ce livre difficile présente les idées du courant « dynamiste » dont l'auteur est l'initiateur.

MORENO JACOB LEVY, *Psychothérapie de groupes et psychodrame*, PUF, 1965.

Ce livre épais, rédigé par l'inventeur du psychodrame, présente cette forme d'action, de formation et de psychothérapie par le groupe et par le jeu de rôle, la simulation et le jeu en groupe de situations rencontrées dans la réalité.

NORTHWAY MARIE-L., *Éléments de sociométrie*, Dunod, 1964.

Ce petit livre concis, clair mais parfois difficile, décrit une méthode d'analyse des relations de groupes, la sociométrie, qui permet de voir la façon dont se distribuent dans le groupe les affinités.

PAGÈS MAX, *La vie affective des groupes*, Dunod, 1968.

Cet ouvrage à la fois lyrique, poétique et analytique, raconte le vécu d'un « groupe de base » et s'appuyant sur ce récit tente de trouver des explications aux phénomènes affectifs.

ROCHEBLAVE-SPENLE ANNE-MARIE, *La notion de rôle en psychologie sociale*, P.U.F., 1962.

Tout cet ouvrage, de lecture assez facile, est consacré à la notion de rôle, expliquée et analysée en détail.

Ouvrages techniques et pratiques sur la conduite de réunion

MACCIO CHARLES, *Animation de groupes*, Coll. L'essentiel, Chronique sociale de France, 1973.

Ce livre d'accès très facile, mais tour à tour un peu primaire ou un peu utopique, est composé d'une série de fiches, succinctes ou complètes, sur toutes les questions à la fois pratiques ou théoriques que peut se poser un néophyte dans l'animation des groupes.

MUCCHIELLI ROGER *La conduite des réunions*, Entreprise moderne d'Edition, Éditions ESF, 1967.

Les livres de Mucchielli comprennent deux parties : une partie théorique composée d'une série d'exposés, et une partie

pratique composée d'exercices à réaliser généralement en groupe. Les livres se présentent un peu comme un canevas de ce que doit dire et faire faire un animateur qui voudrait aborder :
- la conduite des réunions
- la méthode des cas
- l'interview de groupe.
La partie théorique est à la fois complète, simple mais non simpliste, claire, concise.
La partie pratique permet à un lecteur isolé de travailler seul.

MUCCHIELLI ROGER. *La méthode des cas,* Entreprise moderne d'Edition, Éditions ESF, 1968.
Idem.

MUCCHIELLI ROGER. *L'interview de groupe,* Entreprise moderne d'Édition, Éditions ESF, 1968.
Idem.

ROBERT M.-A., *Psychologie du groupe : Manuel théorique et pratique de l'animateur,* Collection Humanisme d'aujourd'hui, Vie Ouvrière, 1969.
Ce petit livre, qui veut aborder à la fois des thèmes théoriques et pratiques d'une façon quelque peu normative, est simple et parfois simpliste.

Pour notre part, considérant que lorsqu'on a acquis une certaine pratique, on ne peut plus progresser sans références théoriques simples mais claires et solides, nous conseillerons la lecture d'un ou deux livres de la première rubrique, et dans les ouvrages techniques ceux de Mucchielli qui seuls évitent l'écueil de la simplification trop hâtive.

COLLECTION PROFIL

Imprimé en France par MAURY-IMPRIMEUR S.A. – 45330 Malesherbes
Dépôt légal : Mars 1985
N° d'édition : 7438 – N° d'impression : B85/16337